JN316338

おとなになるあなたへ

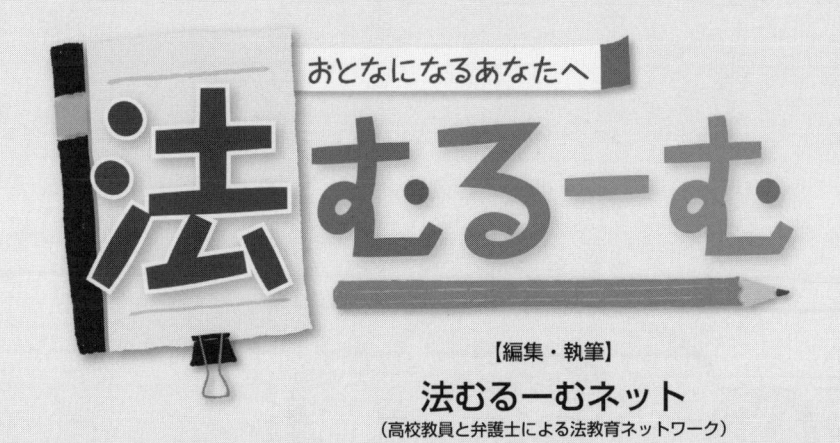

法むるーむ

【編集・執筆】
法むるーむネット
(高校教員と弁護士による法教育ネットワーク)

社会と法が
わかる
15のストーリー

清水書院

この本に登場する人たち

法はわたしたちのそばにある

　法は目に見えません。ですからふだんは気がつきません。でも法はいつもわたしたちのそばにあります。しかも，まだまだ先のことだと思っていたこと，たとえば選挙に行ったり，契約したりすることがどんどん身近なものになっています。

　2022年度から，高校では「現代社会」に替わる新しい必修科目「公共」がスタートしました。「公共」は，みなさんが社会に参画し，さまざまな課題と向き合いながら解決する力を養うことを目的としています。

　この本は身近な事例をもとに「公共」の内容を法の観点から考えることができるように，弁護士と高校教員がいっしょになって作りました。これをもとに教室や家庭で議論しながら，社会のさまざまなことについて関心をもっていただくことを期待しています。

おとなになるあなたへ
法むるーむ
社会と法がわかる15のストーリー

目次

この本に登場する人たち ……… 2

法はわたしたちのそばにある ……… 3

01 なかったことにできないの？ ……… 6
～ 契約 ～　契約／法定代理人／私的自治／ADR

02 儲け話にご用心 ……… 12
～ 消費者問題 ～　消費者問題／クーリング・オフ／マルチ商法

03 フェイクニュースに注意 ……… 20
～ 情報リテラシー ～　情報リテラシー／情報発信と受信

04 事故は突然に ……… 26
～ 交通事故 ～　法の意義と役割／民事責任と刑事責任

05 はじめてのバイト ……… 36
～ 雇用と労働の問題 ～　労働契約／ハラスメント／労働条件

06 カタチのないものを守れ ……… 44
～ 知的財産権 ～　著作権／商標／意匠権

07 クラスメイトが逮捕されてしまった！ ……… 50
～ 少年事件（窃盗事件）～　成年年齢／少年法／家庭裁判所

08 裁判員に選ばれた!? ……… 64
～ 刑事裁判と裁判員裁判 ～　司法参加／裁判員裁判／刑事裁判の原則／検察審査会制度

09 シンボルの木は伐採しないといけない？ ……… 74
～ 政治参加（主権者教育）～　政治参加／選挙／請願／デモ

10 家庭訪問してみたら ……………………………… 82
　〜 児童虐待 〜　児童虐待／児童相談所／ヤングケアラー

11 まさか彼がDV男だったなんて… ……………… 88
　〜 デートDV 〜　家族関係DV／家族／DV被害

12 おばさんのパートナー ……………………………… 100
　〜 ジェンダー平等 〜　ジェンダー平等／人権の尊重と平等／
　　　　　　　　　　　　パートナーシップ制度

13 スポーツから考えるフェア ……………………… 106
　〜 公正とは何か 〜　フェア／公正と正義

14 ポスターを守れ …………………………………… 112
　〜 立憲主義と民主主義 〜　表現の自由／多数決／立憲主義

15 国際離婚？　子どもはどうなる？ …………… 118
　〜 国際法 〜　国際離婚／ハーグ条約／親子関係

『法むるーむ』のご紹介 …………………………………… 126

巻末資料
刑事司法手続きの流れ …………………………………… 128
参照条文 ………………………………………………………… 130
相談先，関係機関のご紹介 ……………………………… 151

01 なかったことにできないの？
〜契約〜

🔥 リエ，親にないしょで…

ある休日，リエは寝転がってスマホをぼーっと眺めていた。

リ　　エ　「あっ。いま話題になってる HRN，ついにメジャーデビューするんだぁ。
　　　　　デビュー記念の限定グッズ BOX が 10 万円⁉
　　　　　ううぅ…　これはほしい。
　　　　　お父さんにお願いしようかなぁ…
　　　　　でも，10 万円かぁ…　買ってくれないよね。
　　　　　貯金を全部使えば買えるけどなぁ…
　　　　　こっそりネットで買っちゃえばバレないかな？
　　　　　よし，買っちゃお」

リエはスマホを操作して，購入画面を開いた。

リ　　エ　「『未成年の方は親権者の同意を得ましたか？』って…
　　　　　親には聞いてないけど，『はい』って押しとこ」

────翌日────

リ　　エ　「あっ，もう届いた！　支払いはコンビニで，現金で払えばいいのね」

▶契約の拘束力◀

　契約は当事者の申込みと承諾が合致することによって成立します。たとえば，「消しゴム貸して」「OK」という会話でも契約は成立します。このように，契約書を作らなくても契約は成立するのです（民法 522 条⇨ p.131）。ちなみに，契約書は契約の内容を紙に書いたもので，あとで「話が違うじゃないか」といったトラブルにならないように作ります。

　さて，**契約も約束の一つです。約束を破ればペナルティがあります。**契約というものにはとても強い拘束力が与えられています。契約を守らないと，相手からの信頼をなくすだけでなく，**相手に生じた損害を賠償したり，違約金を払わなければならなくなる**こともあります。たとえば，あなたが訴えられて，裁判所から損害賠償としてお金の支払いを命じられた場合，財産を差押えられてしまう可能性だってあるのです。

　契約するときは，どのような契約なのか，**お互いに守ることができる契約内容になっているかを必ず確認**しましょう。一度契約してしまうと，あとからでは取り返しがつかなくなってしまうことがあります。

キーワード：契約／法定代理人／私的自治／ADR

解約のお願いをしてみたけれど…

———ある日の夜———

リエの母「リエ。あなた，お母さんにないしょでなにか買ってない？」

リエ　「え？　なんのこと？」

リエの母「"なんのこと？"じゃないわよ。
　　　　あなた，ないしょでHRNの限定グッズBOX買ったでしょ。お母さんもHRNに注目してるんだから。すぐわかったわよ」

リエ　「えっ～，バレた？」

リエの母「"バレた？"じゃないわよ。
　　　　あれ，10万円もするけど，そのお金どうしたの？」

リエ　「貯金を全部使った…」

リエの母「はぁ？　なに，むだづかいしてるのよ。早く返品しなさいっ！」

部屋に戻ったリエは，オフィシャルショップのお問い合せページにアクセスして，「限定グッズBOXを返品したい」というメッセージを送った。

▶未成年者の契約と法定代理人の同意◀

これまでの日本では，20歳をもって成年とされていましたが，2022年4月1日からは成年年齢が18歳に引き下げられました。したがって，**18歳未満を未成年者**といいます。

未成年者が誰かと**契約をするときは，原則として親など「法定代理人*」の同意が必要**です。これは，未成年者には一人で契約をするための十分な判断能力がまだ備わっていないと考えられているからです。

ただし，**お小遣いの範囲内であれば，例外として親など法定代理人の同意は不要**で，誰かからなにかを買うという売買契約が有効となります。したがって，みなさんがコンビニに行って，自分の考えにより飲み物などを買うことができるのも，ちゃんと法律に基づいたことなのです。

*親や，親がいない場合の未成年後見人などを指す。

民法

第4条【成年】
　年齢18歳をもって，成年とする。

第5条【未成年者の法律行為】
1　未成年者が法律行為をするには，その法定代理人の同意を得なければならない。ただし，単に権利を得，又は義務を免れる法律行為については，この限りでない。
2　前項の規定に反する法律行為は，取り消すことができる。
3　第1項の規定にかかわらず，法定代理人が目的を定めて処分を許した財産は，その目的の範囲内において，未成年者が自由に処分することができる。目的を定めないで処分を許した財産を処分するときも，同様とする。

——翌日——
オフィシャルショップからメッセージの返事が来た。

リエ「えっ？　うそでしょ？
　　　返品できないの？？」

> リエ様
> 　このたびは HRN OFFICIAL WEB SHOP をご利用いただき，誠にありがとうございます。お買い上げいただいた商品について返品をご希望とのことですが，本商品の契約の取り消しをお受けすることはできません。なお，リエ様は親権者の了承を得て申し込むという利用規約に同意されていますので，未成年者であるということを理由とする契約の取り消しもお断りさせていただきます。

▶「身分」から「契約」へ◀

　国語辞典で「契約」という言葉を調べてみましょう。たとえば『広辞苑（第6版）』で「契約」を調べると，「①約束。約定。**②対立する複数の意思表示の合致によって成立する法律行為***。贈与・売買・交換・貸借・請負・雇用・委任・寄託などがその例。（③は省略）」と書いてあります。

　少し難しいと感じるかもしれませんが，「契約」はおとなだけの話ではありません。みなさんも日常生活の中でたくさんの「契約」をしています。たとえば，コンビニに行って飲み物などを買うことも売買契約の一つです。

　大昔の人は，**生活に必要なものは自分や家族で作る自給自足の生活**をしていました。そのため，誰かにものを売ったり，誰かからものを買ったりする必要がありませんでした。また，身分や職業が固定されていた時代には，ほしいものが買えなかったり，好きな仕事に就けなかったり，行きたいところに行けなかったりすることもありました。

　やがて時代が進み，社会が発達すると，自分や家族だけですべての用事をすませることができなくなり，ある人は農業，ある人は商業と分業するようになったのです。そして，自分が作ったものを売ってお金に換え，そのお金で別のものを買うという，いまではあたり前になっていることが活発に行われるようになりました。**他人と契約しなければ生活できない社会**になったのです。その結果，「人間は自由で平等なものである」と考えられるようになり，「自由な意思に基づいてのみ権利の取得と義務の負担が認められるべきである」と考えられるようになりました（イギリスの法学者ヘンリー・メーン[H.Maine]は，このことを著書で「身分から契約へ」といっています）。

　このように，国から強制されず，**自分の意思で自分のしたいことを決める「私的自治の原則」という考え方**が発展し，「お互い自由な意思でしたいことを決めて，それに合意したのだから，守りましょう」という「契約」の考え方（民法521条⇒p.131）が発展したのです。

*行為者が意欲したとおりの法律効果（権利関係の変動）が認められる行為のこと。

まずは一人でかかえ込まない

返品できないというメッセージを受け取ったリエは，母に相談した。

リ　エ　「お母さん，返品できないって返事が来た」
リエの母　「お母さんもお父さんも，買っていいって
　　　　　言ってないのに？」

今度は母がオフィシャルショップにメッセージを送ることにした。

————翌日————
オフィシャルショップから返事が来た。

リエの母　「返品できないなんておかしい。
　　　　　リエ，消費生活センターに行くわよ」
リ　エ　「う，うん」

> HRN OFFICIAL WEB SHOP 御中
> 　HRN の限定グッズ BOX を購入したリエの母親です。
> 　契約の取り消しはできないとのお返事をいただきましたが，娘が親の同意を得ずに購入したものです。今回に限り，契約の取り消しをお願いできないでしょうか。

> リエ様のお母様
> 　お問い合せをいただき，ありがとうございます。
> 　すでにリエ様にもお伝えいたしましたが，このたびの契約の取り消しをお受けすることはできません。
> 　大変申し訳ございませんが，ご了承ください。

リエと母は消費生活センターに相談に行った

リエと母は，住んでいる自治体が運営している消費生活センターに行って，消費生活相談員に相談した。

リエの母　「娘が，私たちにないしょでアイドルの限定グッズを買ったんです。
　　　　　返品を求めたら，できないと言われて…
　　　　　そんなのおかしくないですか？」
相談員　「お嬢さんはどうやってお金を用意したのですか？」
リ　エ　「お小遣いやお年玉を貯めていて，そのお金を使いました」
相談員　「いくらで買ったんでしょうか？」
リ　エ　「10万円です」

相 談 員「お店で買ったんですか？」
リ　　エ「ネットで買いました」
相 談 員「親権者の同意を得たかどうかを確認する画面は出ませんでしたか？」
リ　　エ「出ました。"同意している"ってボタンを押しました」
相 談 員「そうですか…　結論として，解約するのは難しいと思います」
リエの母「え？　どうしてですか？　親が同意していないのに…」
相 談 員「おっしゃるとおり，未成年者の契約は親の同意が必要なのが原則です。ただ，お小遣いの範囲（はんい）であれば親の同意は不要なのです。リエさんは貯めていたお小遣いやお年玉で買われたということですので，親の同意はいらないんです」
リエの母「そうなんですか？」
相 談 員「ええ。さらにリエさんは親の同意があると言ってしまっています。同意がないのに"ある"とウソをついてしまうことを，法律では『詐術（さじゅつ）』といいます。『詐術』を用いると，契約の取り消しができなくなってしまうのです」
リエの母「どうすることもできないんでしょうか？」
相 談 員「相手の会社がウソをついていたとか，リエさんがなにか勘違（かんちが）いしていたとか，そういう事情があれば契約を取り消せる可能性もありますが，お話をうかがった限りではそのような事情もなさそうですので，難しいと思います」
リエの母「そうですか…　わかりました…」

リエと母は，肩を落として消費生活センターをあとにした。

▶なんでも私的自治で許されるのか◀

コラム「「身分」から「契約」へ」(p.8)で，「私的自治の原則」という言葉が出てきました。そこで述べたように，私的自治の原則のもとでは，自分の意思で自分のしたいことを決めることができます。また，お互いの意思が合致することで契約が成立します。

ですから，なかなか手に入らないものを定価より高く売ることも，買う人が「それでも買いたい」と納得（なっとく）しているのであれば許（ゆる）され，**トラブルになったとしても，当事者同士が納得して解決することができればそれでよいのです。**

しかし，すべてが許されるわけではなく，周りから見たら許されないこともあります。たとえば，「お金を払うからあいつを殴（なぐ）って」「OK」という契約が許されてしまうと，この世の中は恐（こわ）いものになります。したがって，このような契約は無効となります（民法90条）。**無効である契約を実行するよう求めることは許されないので，無効の契約の実行を拒（こば）まれたからといって法は手を貸してくれません。**

民法
第90条【公序良俗】
　公の秩序又は善良の風俗に反する法律行為は，無効とする。

"お金の使い方は計画的に"

———帰り道———

リエの母 「あなた，なんのためにお金を貯めてたの？
　　　　　友だちと旅行に行きたいからって言ってなかった？」

リ　エ　「ああっ！　すっかり忘れてたっ！」

リエの母 「旅行に行くことになっても，お母さんはお金貸してあげないわよ」

リ　エ　「お母さま〜，そこをなんとか〜」

リエの母 「まったく…
　　　　　"お金の使い方は計画的に"っていつも言っているでしょ」

リ　エ　「はい…
　　　　　これからは気をつけます…」

リエの母 「帰ったらお父さんと家族会議ね」

リ　エ　「お母さまぁぁぁ」

▶未成年者の契約取り消しと詐術◀

　未成年者の契約には親権者の同意が必要です。未成年者が親権者の同意なく契約したらどうなるか。その契約は取り消すことができ，契約自体がなかったことになります（民法5条⇨p.131）。

　しかし，気をつけてほしいことがあります。それは，契約の相手に対して「自分は18歳以上です」と言ったり，親の同意がないのに勝手に「同意がある」と**ウソをついたりした場合，契約の取り消しはできない**ということです（民法21条）。

契約に限ったことではありませんが，「**ウソをつくとペナルティがある**」ということをよく覚えておいてください。

民法

第21条【制限行為能力者の詐術】
　制限行為能力者が行為能力者であることを信じさせるため詐術を用いたときは，その行為を取り消すことができない。

▶ADR（裁判外紛争解決手続き）◀

　なにかトラブルが起きたとき（民事紛争の場合），当事者同士の話し合いで解決することが望ましいのですが，話し合いで解決できないこともあります。その場合，訴訟を起こして裁判で解決することが考えられますが，その前に**中立的な立場の第三者が間に入って話し合いをする**，という方法もあります。

　ADR（Alternative Dispute Resolution）は，訴訟によらない紛争解決方法です。ADRには「**あっせん**」「**仲裁**」「**調停**」があり，**裁判に比べて費用が安い，すばやく解決が図れる**などのメリットがあります。話し合いですので，紛争解決にいたるとは限らず，結局裁判によらなければならない場合もあります。

02 儲け話にご用心
～消費者問題～

👧 モモカのアルバイト

リエの姉のココナは大学生で，高校生のころから同じコンビニでアルバイトをしている。
「短時間でもっとお金を稼げるバイトはないかなぁ」と思いながら，スマホでゲームをしていた。そのとき，バイト仲間だったモモカから，「帰省したよ。久しぶりにカフェにでも行かない？」というメッセージが届いた。ココナは久しぶりにモモカと会いたいなと思い，カフェに行くことにした。

ココナ「久しぶりぃ〜」
モモカ「久しぶり。元気？」

久しぶりに会うモモカはおしゃれになっていて，身につけているものはブランド品ばかり。とても輝いているように見えた。

ココナ「元気だけど…　バイトがさぁ，時給が安いわりに仕事がきついの。
　　　　服も買えないし，毎日くたくた。もっといいバイトないかなぁ」
モモカ「私，いまバイトしてないんだ。
　　　　じつは，投資をやってて，これが結構儲かるんだよねぇ」
ココナ「投資？」

▶「契約自由の原則」と消費者問題◀

契約は誰でも自由にすることができます（契約自由の原則：民法521条 ⇨ p.131）。しかし，自分の意思でいったん結んだ契約は，必ず守らなければならず，勝手に解約することはできません。しかし，立場や契約の知識に差があったりする場合，この原則をそのままあてはめると，契約自由の名のもとに，弱い立場にある人が大きな損害を被ってしまうおそれがあります。

私たちは，日常生活を送るなかで，さまざまな商品やサービスを事業者から購入します。衣食住から娯楽まで，事業者の提供する商品やサービスなしに，私たちの生活は成り立ちません。つまり，すべての人が消費者といえます。消費者は，商品・サービスについての知識に乏しく，また，**事業者との関係では，経済力，情報収集能力，交渉力に大きな格差があります**。そのため，悪質な事業者が消費者の犠牲のもとに不当に利益を得ようとするなどの消費者被害が多く発生しているのも現実です。

そこで，**消費者を保護するために，さまざまな法（消費者契約法，特定商取引法，製造物責任法など）が制定されています**。

キーワード：消費者問題／クーリング・オフ／マルチ商法

ココナは，「投資なんかで儲かるわけない。モモカ，なに言ってるの？」と心の中で思ったが，口には出さなかった。

モモカ「ココナ，いま"投資なんかで儲かるの？"って思ったでしょ。
　　　　それがねぇ，毎月，だいたい50万円くらい稼いでるの」
ココナ「本当？　そんなことあるの？　信じられない！」
モモカ「本当だよ。大学の先輩に勧（すす）められてはじめたんだけど，結構儲かってさ。
　　　　ココナもやってみたら？
　　　　バイトがハードで疲れてるみたいだし。
　　　　もっと賢（かしこ）く稼がなきゃだめだよ」
ココナ「でも，本当に月50万円も？」
モモカ「投資のやり方を書いたマニュアルをメールで送ってくれるから，そのとおりに投資するだけでいいの。
　　　　ラクに稼げるよ」
ココナ「どうして？　そんなものがもらえるの？」
モモカ「マニュアルは買うんだよ。
　　　　お金を払うと，マニュアルがPDFデータで送られてくるの。
　　　　転送とかはできないみたいなんだけど。
　　　　やる気になったら連絡して」

モモカからその会社のことを教えてもらったココナは，家に帰ってからホームページを検索（さく）してみた。ホームページには，「在宅で稼げる」「私も月100万円稼ぎました」「儲からないときは返金！」などの宣伝文句が掲載（けいさい）されていた。ココナはだんだん「モモカもやってるし，大丈夫かな」と思うようになった。

モモカに連絡をしたところ，まず，その会社との間でコンサルティング委託（いたく）契約を結んでからマニュアルを購入するのだと教えられた。

───SNSでのやりとり───

ココナ「マニュアルは必要なの？」

モモカ「それはそうでしょ。誰も知らない儲かる方法が書いてあるんだから。
　　　今月末までセール中だから，通常80万円のマニュアルが50万円で買えるよ。
　　　期間限定だから，いますぐ買ったほうがいいよ」

ココナ「へぇ～。でも，50万円を一括(いっかつ)で支払うのはムリだなぁ」

モモカ「今月末までなら30万円も安く手に入るんだよ。
　　　せっかくのチャンスを捨てるの？　稼ぎたいんでしょ？」

ココナ「でも，そんな大金ムリ。親も貸してくれないし」

モモカ「だったら，消費者金融とかでお金を借りたらいいよ。稼ぎたいんでしょ。
　　　1か月で50万円の儲けが出るんだから，絶対に返せるから大丈夫だよ。
　　　せっかく稼げるチャンスなのに，もったいないよ」

投資をはじめてみたが…

　ココナは「モモカの言うとおりかも」と思い，紹介された会社にネットでコンサルティング委託契約の申し込みをした。すぐに契約書が届いたので，署名(しょめい)，押印(おういん)して契約書を返送した。50万円はいくつかの消費者金融で借りて用意した。

　まもなく，「これであなたも大金持ち！　投資マニュアル」というタイトルのマニュアルのデータが送られてきた。ココナはこれを見ながら，さっそく投資をはじめることになった。

　その後，その会社から頻繁(ひんぱん)に「お友だちをご紹介ください」「お友だちがこのマニュアルを購入すれば，購入代金の10％があなたの口座に振り込まれます」といったメッセージがSNSに届くようになった。ココナは，このときはじめて，自分が支払った50万円の10％（5万円）が紹介者であるモモカに支払われたことを知った。

　最初の2か月間は，モモカが言っていた50万円にはほど遠かったが，月に5万円ちょっとは稼ぐことができた。コンビニでアルバイトをするより多く稼げたので，アルバイトを辞(や)めて，投資に専念しようかと思いはじめた。ところが，3か月目からは利益が出なくなった。ココナはモモカに相談しようと思い，SNSにメッセージを送ってみたが，まったく返信がない。電話もしてみたが，何度かけてもつながらない。

ココナは，会社に50万円の返金を求めるメールを送った。しかし，「契約書に，利益を得ることを保証しているものではないと記載しております」「マニュアルどおりにしていただいていますでしょうか」という返信が届き，返金の希望を受けつけてもらえなかった。
　会社からは返金をしてもらえず，投資は続ければ続けるほど損失が大きくなっていった。他方で，消費者金融からの借金は，返済をしても元金がほとんど減っていないことにようやく気づき，焦りはじめた。

信頼できる人に相談してみた

　ココナは高校時代の仲のよいメンバーに，SNSのグループチャットで相談してみた。

　　カイト「それって詐欺じゃねぇ？」
　　ユ　イ「大変！　詐欺だったら警察に行ったほうがいいんじゃない？」
　　ココナ「警察がお金を取り戻してくれるの？」
　　ユウヤ「SNSで拡散したらいいんじゃない？」
　　ココナ「契約書に，ネットやSNSに掲載してはいけないって書いてあるし…
　　　　　　ネットに書き込みすればお金は戻ってくるのかな？」

　いろいろな案が出たけれど，具体的な解決策は出てこなかった。
　その直後，メンバーの一人であるレンから，ダイレクトメッセージが届いた。

　　レ　ン「ココナ，直メールするね。
　　　　　　じつは，オレも同じようなものを買って損しそうになったことがあるんだ。
　　　　　　ややこしいから，オレらじゃなくてきちんとした人に相談したほうがいいよ」

　そんなとき，小さいときからココナをかわいがってくれている，おばのユミが家に遊びに来た。おばはとてももの知りで，わからないことはなんでも教えてくれる。ココナは困ったことがあると，いつもおばに相談していた。

　　ユ　ミ「なにかあったの？　最近元気がないし，アルバイトも辞めちゃったんだって？」

　ココナは，友だちに誘われた投資話とそれによって起きている問題について相談してみることにした。ココナの話をうなずきながら聴いていたユミは，真剣な顔で話しはじめた。

ユ　ミ「"役に立つ"とウソを言って，高い値段で情報商材を売りつけるパターンだわ。そのうえマルチ商法もからんでる」

ココナ「ジョウホウショウザイってなに？」

ユ　ミ「どうやったら儲かるかっていう"ノウハウ"，つまり情報が商品になっているものよ。なかには役に立つものもあるけど，実際にはたいして役に立たないものも多いみたい。それから，キックバックっていうんだけど，『友だちを紹介してくれたら購入代金の一部を返します』って言われなかった？」

ココナ「言われた。それで友だちに勧めたことはあったけど，お金はまだもらってない」

ユ　ミ「マルチ商法にあたるから，なにか法的な手続きで解決できるかもしれない。でも，間違って動くとかえって危ないから，弁護士に相談したほうがいいよ」

　ココナは，市役所の無料法律相談を電話予約し，弁護士に相談してみることにした。
　弁護士は，「あきらめるのはまだ早いですよ」と言ってくれた。
　弁護士の説明によると，ココナは19歳なので，未成年であることを理由に契約を取り消すことはできない。ただ，コンサルティング委託契約は，いわゆる「マルチ商法」にあたるので，クーリング・オフをして解約することができるかもしれないということだった。

▶マルチ商法◀

　マルチ商法とは，販売組織に加盟して販売員になった人に販売活動をさせ，その下に，ピラミッド状に販売組織をつくることによって利益が得られるようなしくみのビジネスのことをいいます。マルチ商法の最大の特徴は，**商品を販売することによる利益よりも，販売員を勧誘することによる利益のほうが大きくなる形態**にして，これを新規加入者を勧誘するときのセールスポイントにしていることです。

　しかしこのシステムは，参加する人が無制限に増加しなければ，最終的には破綻します。たとえば，典型的なピラミッド式に拡大していく組織を例に挙げます。最初の1人を1代目として，1人が1日3人ずつ勧誘していくと，18日目には，1億9,371万244人となり，21日目には，日本の人口を上回る人数を新たに参加させなければならなくなります。しかし，実際にはこのようなことは不可能です。これがマルチ商法は最終的に破綻するといわれる理由です。

　そこで，**特定商取引法**（⇨p.133〜135）では，「契約自由の原則」の例外として，マルチ商法に対する厳しい規制をしています。

ユ　ミ「相談に行ってよかったじゃない」
ココナ「クーリング・オフっていう言葉は家庭科の授業で聞いた覚えがあるんだけど…
　　　　私，時間が経ってるからムリだと思ってた。
　　　　弁護士さんも，通常は20日を過ぎるとクーリング・オフできないって言ってたけど，20日以内っていう期限は，きちんとした契約書を受け取ってから20日以内っていう意味で，『その会社の契約書にはたくさん問題があるから，きちんとした契約書とは認められないでしょう』って」
ユ　ミ「私がクーリング・オフの文章を書いてあげようか？　メールでもいけるみたいよ。早く50万円を取り戻してお金を返さないとね」
ココナ「お願い。助かる～」
ユ　ミ「あと，もう一つ。ココナが誘ってしまったお友だちにも教えてあげないとね」
ココナ「うん」

▶クーリング・オフ◀

クーリング・オフは，訪問販売やマルチ商法，エステティックサロン，学習塾などの特定継続的役務提供契約など，**法律がとくに定めた契約について，消費者が契約を解除して契約をなかったことにできる制度**です。

本来，自分の都合で一方的に解約する場合は，契約書に解約時に「キャンセル料」や「違約金」が発生することが書かれていれば，これを支払わなければなりません。しかし，クーリング・オフは，「キャンセル料」や「違約金」を支払うことなく解約でき，支払ったお金も全額返金されます。消費者も商品を受け取っているときは返します。

クーリング・オフができる期間は，取引形態によって異なります（⇨p.19）。「マルチ商法」の場合は，契約書面を受領した日または購入商品の引き渡しを受けた日を含めて20日を経過していないことが必要条件です。ただし，契約書面の記載事項が厳しく定められており，内容に問題がある契約書面が交付されている場合は，20日を過ぎてもクーリング・オフの権利を行使できます。

「マルチ商法」は内容に問題のある契約が多いので，クーリング・オフができる場合が多いでしょう。

クーリング・オフの申し出は，証拠として残しておくため，手紙の場合は普通郵便ではなく内容証明郵便を使います。FAXやメール，SNSのメッセージでも行うことができます。

●メールで送る場合

契約書に通知先や通知方法が記載されているか確認してください。

メールには，対象となる契約を特定するために必要な情報（契約年月日，契約者名，購入品名，契約金額等）やクーリング・オフの通知を発した日を記載します。

そのうえで，証拠を残しておくために，電子メールであれば送信メールを保存しておく，ウェブサイトのクーリング・オフ専用フォーム等であれば画面のスクリーンショットを残しておいたほうがいいでしょう。

Q&A 消費者法クイズ

　消費者は法律によって、保護されています。でも、つねにどのようなケースでも消費者が保護されるわけではありません。どのような場合に法律が消費者を保護してくれるのか、次のクイズで確認してみましょう。

Q1 街中で「アンケートに答えてほしい」と声をかけられ、事務所での脱毛エステの無料体験を受けた。そのあと、断ったにもかかわらず別室へ案内され、有料のエステの勧誘を受けた。断り続けたが、契約を結ばないと帰してもらえないので、やむを得ず20万円の全身脱毛コースの契約をしてしまった。この契約をクーリング・オフすることはできますか？

A1 キャッチセールスにはクーリング・オフが認められています。

　クーリング・オフはどんな契約にも認められているわけではありません。訪問販売やマルチ商法、エステティックサロン、学習塾などの特定継続的役務提供契約など、法律がとくに定めた契約に限られます。

　街中で「アンケートに答えてほしい」と声をかけられ、事務所に連れていかれて契約をさせられるキャッチセールスは、法律上は訪問販売にあたるためクーリング・オフができます。

　この場合のクーリング・オフ期間は、法律で定められた事項が記載された契約書（法定書面）を受け取った日を1日目と数えて8日間です。法定書面を受け取っていない限り8日間を超えてもクーリング・オフをすることができます。

若者が陥りやすい消費者トラブルについて

　成年年齢の引き下げにより、18歳から、携帯電話やクレジットカード、ローンなどの契約が親の同意なしにできるようになり、契約を結ぶかどうかを決めるのも、その契約に対する責任を負うのも自分自身になります。*

　契約についての知識や経験が浅いため、内容をよく理解せずに契約してしまったり、悪徳業者に引っかかってしまったり、とくに若者は消費者トラブルに巻き込まれやすいので注意が必要です。

*クレジット会社の多くは、申し込み資格を「高校生を除く18歳以上」としている。

事例　プチ整形

インターネットで「腫れない、痛みが少ない二重まぶた形成術」を見つけ、クリニックに行った。その日のうちに契約して施術を受けたが、思っていたような二重まぶたにならなかった。

　「きれいになりたい」「かっこよくなりたい」という気持ちは誰もが持つものと思いますが、ちゃんと説明を聞かなかったために予想しない結果になってしまったというトラブルが多発しています。

　自分が思っていたのと違った結果になってしまった場合、施術したところを元に戻してもらったり返金してもらったりすることは困難です。甘い言葉に誘われてすぐに飛びつくのではなく、納得するまで話を聞く、信頼できる人に相談するなど、慎重に行動するようにしましょう。

❷ インターネットの通販サイトで商品を購入した場合，クーリング・オフをすることはできますか？

A2 **インターネットに限らず，通信販売にはクーリング・オフが認められていません。**

通信販売は消費者が自ら進んで契約するものなので，訪問販売のような不意打ち性がないためです。

しかし，通信販売では，商品を手に取って確認したうえで購入することができないため，消費者に8日間以内であれば返品する権利が認められています。もっとも，事業者側が広告に返品特約の表示（「返品・返金には応じません」という表示）を適正に行っている場合は返品できません。

通信販売で商品等を購入する際は，事前に返品できるかどうか，返品・交換が可能な場合の条件などをよく確認するようにしましょう。

取引形態	おもな内容	期間	根拠条項※
訪問販売	キャッチセールス，アポイントメントセールス，催眠商法も含まれる	8日間	第9条
電話勧誘販売	学習教材や不動産投資など，比較的高額なもの	8日間	第24条
特定継続的役務提供	エステティックサロン・語学教室・家庭教師・学習塾・結婚相手紹介サービスなど	8日間	第48条
連鎖販売取引	マルチ商法	20日間	第40条
業務提供誘引販売取引	内職・モニター商法	20日間	第58条
訪問買取	自動車，家電（携行が容易なものを除く），家具，書籍，有価証券，CD・DVDなどは除く	8日間	第58条の14

クーリング・オフが可能な期間
※特定商取引法に基づく条項

事例 リボ払い

大学進学にともない一人暮らしをはじめた。生活に必要なものをクレジットカードで購入し，リボ払いにしたら，いつのまにか利用残高が返済できないほど膨れ上がってしまった。

カード会社の広告で見たり聞いたりしたことのある「リボ払い」。現金を持っていなくても買い物ができ，しかも最初に設定した金額を月々支払えばよいので，無理せず返済できて便利なようにみえます。しかし，それに安心して使い続けていると，気づかないうちに返しきれない額まで返済額が膨らむといった事態に陥る危険性があります。その結果，自己破産しなければならなくなった人があとを絶ちません。

クレジットカードはとても便利で，正しく使えば生活を豊かにしますが，自分の収入に見合わない誤った使い方をして自己破産してしまうと，その後ローンが組めなくなるなど，生活上の不利益が生じます。安易な使い方をしないようにくれぐれも気をつけましょう。

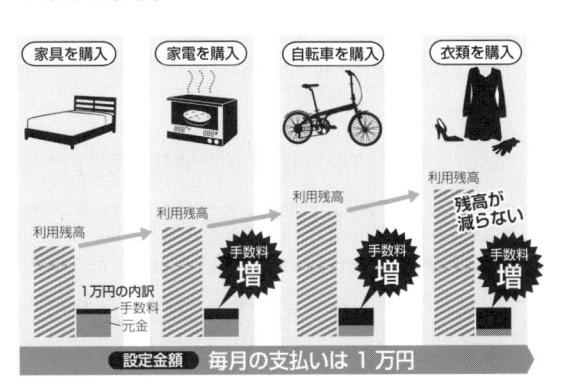

03 フェイクニュースに注意
～情報リテラシー～

友だちからのメッセージ

　ある日曜の昼下がり，マモルのスマホに，クラスメイトのヒロシからメッセージが届いた。

「マモル，大変だ！　裏の山からクマがおりてきたらしい。
体長が2メートルくらいあって，人を襲うこともあるみたいだ。気をつけろ！」

　メッセージには，町の中を歩く大きなクマの写真もつけられていた。

マモル「え〜!?　大変だ！　うちのすぐ近くじゃないか。
　　　　みんなにもすぐに知らせてあげないと！」

　これはヒロシがマモルに送ったメッセージなので，マモルしか見ることができなかったが，マモルはすぐに，いつも利用している写真や動画を投稿できるSNSに，ヒロシから送られてきたメッセージの内容と写真を投稿し，
「これを見た人はほかのみんなにも情報を伝えてください！」
と呼びかけた。
　マモルのSNSは，利用者なら誰でも見られる設定になっていたので，マモルが望んだとおり，この投稿は多くの人が目にすることになった。

じつはウソでした

　マモルはSNSに投稿したあと，くわしい話を聞こうと思って，ヒロシに電話をかけた。

マモル「ヒロシ，さっきの情報ありがとう。助かったよ」
ヒロシ「情報？　あぁ，クマが出たってやつか？」
マモル「そうそう。まだ捕まってないんだろ？」
ヒロシ「えっ？　まさか本気にしたのか？」
マモル「えっ？　どういうこと？」

キーワード：情報リテラシー／情報発信と受信

ヒロシ「あれウソだよ。
　　　　写真を加工してたら，ホントに町にクマ
　　　　がいるような写真になったんだよ」
マモル「え〜!?　あの写真，さっきSNSに投稿し
　　　　ちゃったよ！」
ヒロシ「そうなの？　それは悪いことをしたなぁ。
　　　　まぁ，あとで謝っとけば大丈夫だろう」

　マモルは，「間違った情報ならすぐに消さなきゃ」
と思い，あわてて電話を切ってSNSを確認した。
　マモルがSNSを確認すると，すでにマモルの投稿は
「これってフェイクじゃない？」と話題になっていた。マモルはあわてて，
「先ほどのクマの情報は僕の勘違いでした。お騒がせしてすみません」
と投稿し，元の投稿は削除した。
　けれども，これが火に油を注ぐことになった。
「ウソを投稿するなんて！」
　マモルに対し，見ず知らずの人も含め，多くの人から苦情や非難の書き込みが殺到した。
そう，マモルは「炎上」したのである。

フェイクニュースに気をつけよう

　マモルはどうしていいかわからなかったので，知り合いのユミさんのところに相談に行くことにした。ユミさんは，マモルの親友であるリエのおばにあたる人だ。いろいろなことを知っているので，マモルは何度か相談に乗ってもらったことがある。

ユ　ミ「なるほど。じゃあ，マモル君はヒロシ君からの写真を見て，みんなを助けたいと
　　　　いう一心でSNSに投稿したんだね？」
マモル「そうなんだ。急にヒロシからあんな写真が送られてきたから…」
ユ　ミ「投稿する前にちゃんとホントかウソかを確認すべきだったね。
　　　　なんで投稿前にヒロシ君本人に確認しなかったの？」
マモル「だから，早くみんなに知らせなきゃと思って…」
ユ　ミ「ヒロシ君本人でなくても，たとえば，インターネットで検索するとか。
　　　　ほかにも同じ情報があるかどうか探してみるのは効果的だと思うよ」

21

マモル「わかったよぅ,
　　　　今度からは必ずそうするよぅ…」
ユ　ミ「ネットで見つけた情報を自分のSNSで紹
　　　　介する場合は,ホントかウソか確かめな
　　　　いとね。そのまま信じるのはすごく危険
　　　　なことなんだよ」
マモル「うぅ,気をつけます」
ユ　ミ「それと,大きなニュースになりそうな話
　　　　なのに,その情報が一つのサイトにしか載っていないような場合は,フェイク
　　　　ニュースかもしれないと疑ったほうがいいね」
マモル「なるほど！　本当に大きなニュースなら,多くのところから情報が出ているはず
　　　　だよね」
ユ　ミ「そう。ただ,複数の情報が見つかったとしても,元をたどると情報源は一つとい
　　　　うこともあるんだよ。
　　　　多くの情報源があるように見えて,たった一つのフェイクニュースを多くの人が
　　　　コピーして拡散しただけの場合もあるから…
　　　　複数あるというだけで大丈夫ともいえないんだけどね」
マモル「そこまで考えなきゃいけないなら,怖くてSNSなんか使えなくなっちゃうよ」
ユ　ミ「投稿するたびに,必ずそこまでしないといけないということではないけれど,"こ
　　　　れがウソだったら,とんでもない騒ぎになるぞ"っていうような情報の発信には
　　　　慎重になったほうがいいね」
マモル「たとえば,どんな場合？」
ユ　ミ「今回のように,みんなに対する影響が大きい災害の情報とか,あるいは他人のプ
　　　　ライバシーにかかわりそうな情報とか。
　　　　もしフェイクだったら誰かに迷惑がかかるだろうなってことは想像しないとね」
マモル「こんな騒ぎになるなんて考えもしなかったよぅ」
ユ　ミ「よくいわれることだけど,ネットに投稿するということは,目の前の友だちと話
　　　　をするのと違って,一度に世界中の人たちに話をしているのと同じなんだよ」
マモル「世界中!?」
ユ　ミ「スマホの画面は小さいけれど,その画面の向こうに何十億人もの人がいて,その
　　　　人たち全員に向かって情報を発信しているんだという意識を持っておくことが必
　　　　要だね」
マモル「なるほど」

炎上したらどうしたらいいの？

マモル「ところで，僕のSNSにいろいろな人から書き込みがされてるんだけど，どうしたらいいんだろう？」

ユミ「まず，一人で解決しようと思わないこと。炎上の度合いにもよるけれど，場合によっては法的な手段によって解決をしなければならない場合もあるからね。
まずは身近な人，保護者や学校の先生に相談することだね」

マモル「じゃあ，僕がすぐここに相談に来たのは正しかったんだね」

ユミ「まあ，そうだね。ただ，一度拡散してしまった情報を完全に消すのは難しいよ。削除しても，世界のどこかにコピーしている人がいる。一度ネットに上がった情報は永久に消えることがない，ともいわれているんだよ」

マモル「そんなに大変なことなの？」

ユミ「SNSの管理者に投稿の削除を依頼することもできるけど，必ず削除してもらえるとは限らないし，削除まで時間も相当かかる。
その間に，さらに投稿が拡散していくことも考えられるね」

マモル「自分の投稿を消しただけではダメなんだね」

▶個人情報の取り扱いに要注意◀

SNSでの投稿が炎上した場合に，**プロフィール欄や過去の投稿の情報から，あなたの個人情報（本名，住所，通っている学校など）が特定され，拡散される**という事態になることもあります。個人情報が特定・拡散されると，ネットでの誹謗中傷だけでなく，実際に自宅の郵便受けに誹謗中傷の手紙が投函されるなどという恐ろしい事態にまで発展する可能性もあります。このような事態を未然に防ぐためには，まず，そもそもフェイクニュースに引っかからないようにすることに加えて，**むやみに個人情報をインターネット上に載せないことも重要です。**

●こんなところからも個人情報が…

SNSから個人情報が特定され拡散されるおそれがあるのは，「炎上」時に限ったことではありません。たとえば，写真に写っていた建物などから写真を撮った場所が特定される，学校の制服から通っている学校が特定されるなど，**自分でも気づかないうちに個人情報を公表してしまっている場合もあります。**SNS上には，そのような個人情報を悪用しようと考えて，DM（ダイレクトメッセージ）を送ってくるなどして，つながりを求めてくるような人もいます。安易に個人情報が特定されそうな写真を載せないなど，注意をする必要があります。

●プライバシー権

一般人であっても，自分のプライバシーに関する情報や私的な写真を他人に勝手にさらされない権利があるので，他人のプライバシーにかかわる情報が写っている写真や映像をSNSに投稿する際には，**写っている人に投稿してよいか，確認をとるなどしましょう。**

投稿自体が犯罪になってしまうこともある

ユ　ミ「それから，投稿の内容によっては，投稿自体が犯罪になってしまうケースだってあるんだよ。たとえば，アイドルの誰々は昔，警察に捕まったことがある，みたいに他人の名誉を傷つける内容だと名誉毀損罪になる可能性もある」

マモル「もしそれが本当のことだったら，投稿されてもしかたないんじゃないの？」

ユ　ミ「いくら本当のことでも，その人が他人に知られたくない情報を勝手に広めてしまったら名誉棄損罪になるんだよ。だから，そんな情報をおもしろがってSNSで発信するようなことはやめたほうがいいね」

マモル「本当のことでも犯罪になるんだね。知らなかった」

ユ　ミ「ほかにも，あのスーパーの商品に虫を入れた，みたいに商売を妨害するような投稿だと業務妨害罪という犯罪になる可能性があるね。とにかく，SNSになにかを投稿するときには，本当に投稿しても大丈夫な情報か，情報源は確かか，ということをしっかりと確認しないとダメだよ」

マモル「わかった。気をつけるよ」

▶万が一炎上してしまったら？◀

もしもSNSでの炎上騒動に巻き込まれてしまったら，**一人で悩まず，信頼できる人（保護者，学校の先生，弁護士など）に相談すること**が大切です。

SNSへの不適切な投稿については，拡散されてしまうと完全に削除することはきわめて困難となり，加害者・被害者ともに，就職や結婚に支障が生じるなど，一生の障害となる可能性まであります。被害に気づいたら，拡散を阻止するためにも，すみやかに削除の手続きをとるなど，迅速に対策を講じる必要があります。

また，SNSに限らず日常生活においても，虚偽の情報や他者を加害するような情報はありとあらゆるところに無数にあります。**何気ない投稿が誰かを傷つけているかもしれない，知らない間に加害者になり損害賠償責任等を負ってしまう危険性がある**，ということを理解しつつ上手に情報を利用する必要があります。

●書き込みの削除請求

自分の投稿は自分で削除できますが，投稿を見た他人がさらに同内容を発信したり，インターネット上の掲示板に転載したりしたものは，自分で削除することはできません。そのような場合，**そのSNSや掲示板の管理者に対して投稿や書き込みの削除請求をすることができます**。

SNSや掲示板には，削除請求をしたい場合の連絡先が載っていることが多いので，そこから削除請求をすることになります。しかし，請求したからといって必ずしも削除がなされるとは限りません。たとえば，投稿が名誉棄損にあたる場合等，SNSや掲示板の規約に違反したと認められなければ削除されないこともあります。また，削除の対象として認められるとしても，削除手続きに1～2か月かかることもあり，その間にさらに投稿が拡散されてしまうと，削除が追いつかないこともあります。

運よく沈静化したけれど

マモルの炎上騒動は，幸いなことにしばらくして沈静化した。ある人が「みんなを助けたいと思って投稿したんだから，許してあげたら」という書き込みをしてくれ，一番頻繁にマモルを非難していた人が「今回はこれくらいにしといたろ」と宣言したからである。

そして，マモルの住所や学校名が割り出されてネットにさらされる，ということまでは起こらなかった。

マモル「ネットって騒ぎをあおる人ばかりじゃないんだ。スマホの向こうには，本当にたくさんの，いろんな人がいるんだなぁ」

今回はこの程度ですんだが，さらに大きな事態に発展した可能性だって十分にある。
「これからSNSに投稿するときには，よく考えてから発信しよう」とあらためて心に誓うマモルだった。

▶SNSでの誹謗中傷は罪になる？◀

SNSの普及にともなって，インターネット上で自由にコミュニケーションを行うことができるようになった一方，匿名で不特定多数に向けて特定の人の誹謗中傷を書き込んだり，一方的に誹謗中傷のメッセージ等を発信したりする事例が多発し，深刻な社会問題となっています。プロバイダに情報開示を求めて投稿者を特定し，責任を問うことができる法整備が急ピッチで行われています。
対面および実名で発信できない内容・表現は，SNSであっても避けることが重要です。

●**名誉毀損罪**（刑法230条1項）
　人の名誉を傷つけるような投稿をした場合，名誉棄損罪（「公然」と「事実を摘示」し，「人の名誉を毀損」した者は，その事実の有無にかかわらず3年以下の懲役若しくは禁錮又は50万円以下の罰金に処する）にあたる可能性があります。
名誉毀損罪は，投稿内容が「真実」である場合にも成立するので，注意が必要です。

例外的に名誉毀損罪にならないのは，①公共の利害に関する事実で（たとえば，政治家の汚職），②目的が専ら公益を図ることにあったと認められる場合で，③摘示した事実が真実であることの証明があったときです。

●**業務妨害罪**（刑法233条，234条）
　虚偽の風説（うわさ）を流したり偽計を用いて人の業務を妨害する罪と，**威力を用いて人の業務を妨害する罪**をあわせていいます。「虚偽の風説を流す」とは，たとえば「あのスーパーの商品に虫を入れた」というウソの情報をインターネットに書き込むことなどがあたります。これによって，スーパーは一時閉店して，商品に虫が入っているかどうかを確認する作業が必要になり，営業が妨害されることになります。また，「威力を用いて業務を妨害する」とは，たとえば，飲食店で「料理がまずい」などと大声で騒いでトラブルを起こすことなどがあたります。

04 事故は突然に
～交通事故～

マモルの自転車事故

　サッカー部の練習帰りのある日。マモルが，いつものように歩道を自転車で走って家に向かっていたところ，ポケットに入れたスマホがブルブルとふるえた。
　メッセージの着信だ。
　マモルは，ポケットからスマホを出して，メッセージを確認した。
　部活の友だちが，いまから駅前のファストフード店に行かないかと送ってきたのだ。
「それなら，さっき学校で言ってくれたらよかったのに」
　マモルは，家までもうすぐのところまで来ていたので，今日はもうめんどうくさいな，ほうっておこうかなと思ったが，とりあえず返信だけはしておくことにした。
　マモルはつぶやきながら，自転車に乗ったまま返信メッセージを打ちはじめた。
「えーと，今日はもう帰っちゃったからやめと…」

ガシャーン!!

　え？　いてて…
　なにかにぶつかってこけてしまったようだ…

　そして，マモルはいま，病院のベッドの上にいる。
　完全にスマホに気をとられていたマモルは，ぶつかった相手が小さい子どもであることもわからなかった。気がついたときには，マモルは歩道に座り込み，少し離れたところに子どもが倒れ，大声で泣いていた。
　近くにいたおじさんが，救急車を呼ぶと同時に警察にも連絡してくれたようだ。マモルとその子どもは，救急車にいっしょに乗せられてこの病院に運ばれてきた。
　幸いにも，マモルのケガはすり傷ぐらいでたいしたことはない。母にも自分で連絡することができた。だけど，マモルが母から聞いたところによると，子どもは，右足首の骨が折れてしまったうえに，腕や足にひどいすり傷を負ったらしい。
「あとで謝りに行くほうがいいかな？」

26

キーワード：法の意義と役割／民事責任と刑事責任

😟 えっ，僕が悪いの？

　マモルは，母と相談して，子どものところへ謝りに行くことにした。
　病室に入ってみると，子どもはベッドで寝ていた。布団が身体にかけられていたので手足の状態はわからなかったが，顔にもガーゼが貼られていた。その子どもの手を母親らしい人が握りしめている。
　母が，「このたびは…」と話しはじめた途端，その人は突然立ち上がり，

子どもの母「ちょっと，おたくのせいでこんなことになって！　まだ6歳なのに右足首の
　　　　　　骨折なんて，将来歩けなくなったらどうしてくれるんですか!!
　　　　　　もうすぐ小学校に入学するのに!!
　　　　　　ちゃんと責任をとってもらいますからね!!!」

　マモルは驚いた。先ほど，事故現場を調べた警察の人がマモルの病室まで事故の状況を聞きにやって来て，子どももボールを追いかけて飛び出してきたようなことを言っていたからだ。

マ　モ　ル「お子さんも飛び出してきたと聞いているのですが…」
子どもの母「こっちの責任だって言うの!?　あなたこそ，スマホの画面見てて，完全に
　　　　　　よそ見してたんでしょ!!　全部あなたの責任です!!!」

▶交通事故証明書◀

　交通事故の届出を受けた警察は，交通事故証明書という書類を作ります。この証明書には，事故の日時，場所，当事者の住所・氏名・電話番号などが書かれています。
　交通事故による傷害や破損などの補償は高額になるため，保険を使うことが多いのですが，ほとんどの場合，交通事故証明書が必要となります。したがって，交通事故を起こしたり巻き込まれたりした場合は，必ず警察を呼んでください。

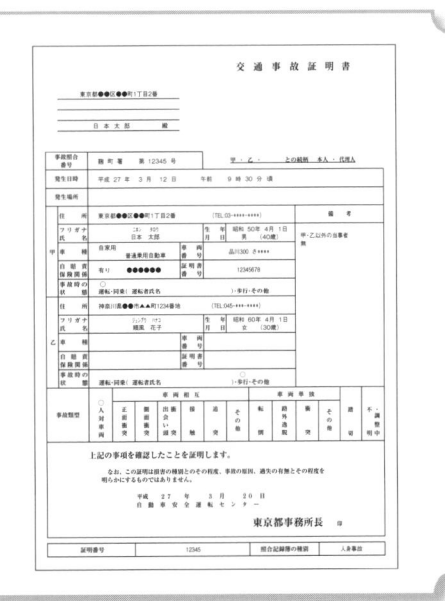

マモルは、なにか違うような気がしたが、子どもの母親はめちゃくちゃ怒っているし、ケガをさせてしまったことも確かなので、ちゃんと謝っておこうと思った。

マモル「すみませんでした」

マモルは謝りながら、「誰か相談に乗ってくれないかな…」と考えていた。

責任はどうやってとるの？

マモルは、その日のうちに退院することができた。

家に帰ってから、母に「謝りに行っておきながら、おたくの子どもも悪いって言うなんて！」とひどく叱られた。母の言うとおりで、マモルは返す言葉がなかった。

でも、母も、すべてがマモルの責任ではないと感じていたのか、マモルは、翌日の土曜日、弁護士会が実施している法律相談に連れていかれた。

弁護士が机の向こうに座っていた。「弁護士さんなんてはじめて見たなぁ」と思ってぼんやりしていたら、母に「30分しかないんだから、早く説明して！」と、また叱られた。

マモルは、昨日の事故のことを弁護士に話しはじめた。途中、弁護士からの質問に答えながら、子どもの病室に謝りに行ったことまで、なんとか説明した。

その後、気になっていることを、頑張って尋ねてみた。

▶**交通事故を起こしてしまったときの責任の種類①**◀

●**民事責任**

交通事故によって被害者に生じた損害を賠償する責任です。具体的には、**物を壊してしまった場合には弁償しなければならない責任であり、人にケガをさせてしまった場合には治療費や慰謝料などをお金で支払わなければなりません。**

このような責任を**不法行為責任**といいます。他人に損害を与えてしまった人は、その損害を回復するために賠償しなければならず、これはお金で支払うものとされています。この賠償は損害を回復するためのもので、加害者を懲らしめるためのものではないのが、刑事責任と大きく異なるところです。

民法
第709条【不法行為による損害賠償】
故意又は過失によって他人の権利又は法律上保護される利益を侵害した者は、これによって生じた損害を賠償する責任を負う。

マモル「僕は，どんな責任を負うことになるんですか？」

弁護士「交通事故の加害者には，民事責任や刑事責任，行政上の責任が発生します。民事責任としては，まずは，賠償金を支払わなければなりません。治療にかかったお金とかですね。
　　　　いまは被害者の方が治療している途中とのことなので，金額はまだわかりませんが，ケガが治りきらずに症状が残ってしまった場合には，全部で数千万円になる可能性もないとはいえませんね」

マモル「ケガが治りきらない場合って，どんな場合ですか？」

弁護士「たとえば，今回のように骨折した場合だと，骨がちゃんとついたとしても，事故の前のように自由に動かすことができない場合があり得ますよね？
　　　　このように，治りきらずに残った症状は，後遺障害といわれていて，後遺障害が残った場合には賠償金が高くなることが多いですね」

弁護士の話から，とても支払えないような大金が必要になると知り，マモルは驚いた。

誰がどうやって払うの？

弁護士「あなたは未成年だから，親御さんが支払いを求められる可能性もありますね」

マモルの母「うちはとてもそんな大金を用意できません…」

弁護士「しかし，お金がないからとほうっておいたら，最終的には財産を差押えられたり，大変なことになってしまう可能性もありますよ」

マモルの母「そんなことになったら困ります。
　　　　　なにか方法はないでしょうか」

▶交通事故を起こしてしまったときの責任の種類②◀

●**刑事責任**

交通事故を起こしてしまったことに対して，**国から刑罰（罰金，懲役など）を受けなければならない責任**です（自動車運転死傷行為処罰法2条⇨p.136）。

●**行政上の責任**

自転車は，道路交通法で「軽車両」とされています（軽車両は「車両」の一種です）。そのため，自転車事故であっても，事故の発生状況や被害者の受けた被害の程度などによっては，**自動車の運転免許の停止や取り消しなどの行政処分を受ける可能性があります**。

以上の法律上の責任を果たすほかに，被害者に謝罪したり，お見舞いに行くなどして誠意を示すことが望ましい場合も多いと思われます。

弁　護　士「自転車事故に使える保険に入っていませんか？
　　　　　　自転車専用でなくても，自動車保険や傷害保険，火災保険などに特約としてついていたり，クレジットカードにもついていたりする場合があります。
　　　　　　加入していることに気づいていない人も結構いますよ」
マ　モ　ル「そういえば高校に入学したとき，自転車保険の案内をもらったような気がします」
弁　護　士「では，自転車保険に入っているかどうか，家に帰ってから書類を確認してみてください」

僕の責任はどれぐらい？

「差押え」という言葉を聞いて，母がドキッという表情をした。マモルもまた驚いた。
　マモルは，差押えをされたら大変だと思い，ずっと疑問に思っていたことを思い切って質問してみた。

マ　モ　ル「でも，子どもも飛び出してきたんです。
　　　　　　僕が100％悪いとは思えないのですが…
　　　　　　実際のところ，僕の責任はどの程度なんでしょうか？」
弁　護　士「でも，あなたもスマホを見ていて，まったく気づいてなかったんでしょ？
　　　　　　それなら，あなたの側の過失が非常に大きいので，あなたが全部の責任を負うということになるでしょうね。
　　　　　　それに，歩道上の歩行者には，基本的に過失はないと考えられていますからね。しかも6歳の子どもですから」

▶保険の話◀

　自動車は，自動車損害賠償責任保険（自賠責保険）という保険に加入することが義務付けられていますし，さらに，ほとんどの車が，自賠責保険以上の金額を賠償してくれる任意保険に入っています。
　これに対して，自転車については加入を強制される保険はありません。自転車保険の加入率は決して高くなく，自転車に限らず日常生活上で発生する事故に関する賠償義務をカバーする個人賠償責任保険もそれほど普及していません。
　しかし近年では，**自転車事故に対応する保険への加入を義務付ける条例を定める自治体も増えてきています**。自転車による事故で重大な結果が発生することは決して稀ではありません。自転車に乗る人は，なんらかの保険への加入を一度検討されてもよいかと思います。

家に帰ってから，母は父に弁護士から聞いた話を伝えていた。

マモルは弁護士の説明を聞いて，自分がとんでもないことをしてしまったということを理解し，自分の不注意を深く反省した。そして，解決するまでには相当の時間がかかると思われるので，できるだけお見舞いに行くようにしようと思った。

6歳の子どもに後遺障害が残ったら大変だ。子どもの母親が怒っていたのも無理はないと，あらためて反省した。

責任はお金だけですむわけじゃない

その後，マモルは，病院まで何度もお見舞いに行った。子どもの母親にはじめて会ったときのことを思い出すと，勇気をふりしぼらなければならなかったが，弁護士の話を聞いて，マモルなりに反省していることを子どもや子どもの母親に伝えようと考えたのだ。ケガをさせた責任は治療費などを支払うだけですむわけじゃない，とマモルは思えるようになっていた。

はじめて会ったときにはマモルに対する怒りを爆発させていた子どもの母親も，しだいに学校のことを尋ねたり，世間話などをしたりしてくれるようになった。また子どもも，マモルに対してだんだんと打ちとけてきて，好きなアニメやゲームの話などをするようになった。

▶親の責任？◀

自転車事故を起こしたのは子どもなのに，なぜ親が責任を負うことがあるのでしょうか。

民法は，**不法行為を行った者が未成年者で責任能力がない場合には，法的責任を負わないと規定**しています（民法712条⇨p.132）。責任能力というのは難しい言葉ですが，自分の行為が良いか悪いかを判断できる能力のことです。12，13歳程度になれば責任能力があると考えられています。

しかし，責任能力がない者から被害を受けた人は賠償を受けられないという結果は適切でないので，その場合には，**責任能力がない者の監督義務者（親など）が責任を負うこともあります**（民法714条1項⇨p.132）。

反対に，責任能力がある未成年者（12，13歳から17歳）については，原則として，自分で責任を負うことになります。

そして約20日後，子どもは無事に退院した。でも，リハビリはまだ続ける必要があるらしい。

子どもが退院するとき，お見舞いに訪れていたマモルに対して，子どもの母親が話してくれた。

子どもの母「病院ではじめて会ったマモル君は，あまり自分の責任をわかっていないようだったから，警察に対して厳しく処罰してほしいと強く言ったのよ。
でも，その後，よくお見舞いに来てくれている様子を見て，ちゃんと反省してくれているように感じたから……，警察には，あなたに対する刑事処分は求めませんと伝えておきました」
マ　モ　ル「ありがとうございます。
今回のことは，本当にすみませんでした」

マモルは，刑事処分のことなど考えていなかった。自分の行為が罰金や懲役の対象となる可能性があったことをあらためて認識して，まだまだ反省が足りないと思った。

▶過失相殺◀

事故は，必ずしも加害者だけの落ち度（過失）によって発生するわけではありません。被害者の側にもなんらかの過失がある場合もあります。その場合には，事故で生じた損害を公平に分担させるため，被害者は自己の過失の割分については賠償を受けることができません。逆にいうと，**加害者としては，被害者の過失の割分については，賠償しなくてもよい**ことになります。これを**過失相殺**といいます（民法722条）。

今回のケースは，自転車と歩行者が歩道上で接触して歩行者にケガをさせたという事故です。コラム「**交通事故を起こしてしまったときの責任の種類②**」(p.29)で述べましたように，自転車は道路交通法上は軽車両と定義されており，したがって，自転車は車道を走るのが原則です。ただし，「歩道通行可」とされている場合には，歩道を走ることができます。

すなわち，自転車が歩道を走るのは例外で，例外的な走行をしている自転車と，原則どおり歩道を歩行している歩行者とが接触したことになります。この場合には，例外的な走行をしていた自転車の側が注意しておくべきだったと判断され，原則として自転車側に100％責任があるとみなされることになります。

この背後には，交通事故によって**被害を受けやすい者（交通弱者といいます）である歩行者が，自転車よりも強く保護される**という考え方があります。

マモルの反省と誓い

　子どもは，治療とリハビリがうまくいって，事故から半年ぐらい経ち，なんとか後遺障害がないと思われる状態になったとのことだった。「ただ，まだ幼いので，今後，成長するにつれて，なにがあるかわからない」と聞かされると，マモルは申し訳ない気持ちでいっぱいになる。

　マモルが子どもに支払う賠償金は，話し合いの結果，265万円になった。弁護士の法律相談を受けたあと，家に帰ってから書類を捜してみたところ，高校に入学したときに自転車保険に入っていたことが確認できた。すぐに保険会社に連絡をして，子どもの母親側との話し合いもしてもらっていた。そして，賠償金は保険会社が支払ってくれた。

　保険会社から賠償金の支払いがすんだという連絡があったとき，母は安心したような表情を浮かべた。父の「よかったな」という声も聞こえてきた。マモルもようやくホッとできたような気がした。一方で，もし保険に入っていなかったらと思うと，マモルはおそろしい気持ちになった。

　マモルは，自分の軽率な行動が，ケガをした子どもやその家族はもちろん，自分の家族や周りの人たちにも大変な迷惑をかけてしまうことを思い知った。

　弁護士にはその後も何度か相談に乗ってもらったが，さすがにその費用は保険からは支払われなかったので，親が負担してくれた。マモルは，高校を卒業したあとは大学に進学して勉強を続けたいと考えているので，進学後はアルバイトをして少しずつでも親に返済していこうと思っている。そして，ケガをさせてしまった子どもにも，ときどき連絡をとって，様子をうかがわせてもらいたいと思う。

　マモルは，今回はただ謝罪するだけでなにもできなかったけど，いまのこの気持ちを忘れずに持ち続けて，二度と交通事故を起こさないようにしなければと心の中で誓った。

▶自転車事故の刑事責任◀

　自転車の運転により人を死傷させた場合には，過失致死傷罪や，過失の程度が重い場合には，重過失致死傷罪が成立し，**罰金刑や懲役刑を受ける可能性があります**。

　未成年者の場合は，少年法が適用されて，おとなとは違う手続きとなりますので，必ずしも上記の刑が科されることにはなりませんが，重大な犯罪であることは知っておくべきです。

▶今回の賠償金の内訳◀

265万円の賠償金の内訳は，おおよそ以下のとおりです。

- **治療費　100万円**

  子どもは健康保険を利用して治療を受けていたため，子どもに対して30万円（3割）を，健康保険組合に対して70万円（7割）を支払うことになりました。

- **入院雑費　3万円**

  交通事故によって入院した被害者に対して，加害者は，入院に必要なさまざまな費用（これを入院雑費といいます）を支払わなければなりません。今回のケースでは，入院1日あたり1,500円として，20日間の入院に対して，1,500円×20日＝3万円を支払いました。

  この入院雑費は，入院した被害者の寝具，衣類，テレビカードなど，必要な身の回り品の購入にあてられることになります。

- **付添介護費　12万円**

  今回のケースのように幼い子どもが入院した場合には，近親者の付添介護の費用を支払わなければなりません。今回のケースでは，入院1日あたり6,000円として，20日間の入院に対して，6,000円×20日＝12万円の付添介護費を支払いました。

- **入通院慰謝料　150万円**

  入通院の期間・日数，症状の程度などに応じて慰謝料の金額が定められます。今回のケース（入院20日間，通院約5か月）では，慰謝料として150万円を支払いました。

示談書

●●●●●を甲、●●●●を乙と
和3年7月16日に発生した交通

1　乙は、甲に対し、令和4年3月
　　ほか金2,650,000円の支払い
　　締結後、できるだけ速やかに、
　　み支払う。
2　甲及び乙の間には、本件交通事
　　条項に定めるもののほか相互に何

令和4年3月30日

～交通事故の事例から～
おとなになるあなたへ

●後遺障害が残った場合，どうなるのでしょうか？

後遺障害とは，適切な治療を受けても，なお将来にわたる障害が残ってしまうことをいいます。

民事責任について，たとえば，事故により被害者の右足の小指が動かなくなってしまった場合，別途，これに対する慰謝料が賠償金として発生します。この場合，後遺障害に対する慰謝料は110万円となります。

●被害者が働いていると仮定すれば，どのような違いがでてくるでしょうか？

被害者が働いていると仮定すれば，すでに説明した265万円の賠償金に加え，加害者は，①休業損害と②（後遺障害が発生した場合）後遺障害による逸失利益も賠償する必要があります。また，後遺障害が発生した場合，上で説明した後遺障害に対する慰謝料の賠償も必要です。

たとえば，被害者が月額30万円（年額360万円）の収入を得ていたとして簡単に説明します。

まず，①**休業損害**は，事故により仕事を休まなければならなかったため発生した損害のことです。被害者が入通院等により3か月間休まなければならなかったとすると，月額30万円×3か月＝90万円の損害が発生し，それを賠償する責任を負うことになります。

次に，②**後遺障害による逸失利益**は，将来にわたる障害が残った場合，その障害によって一定期間，一定割合の労働能力が失われたと想定することによって発生する損害です。被害者に右足の小指が動かなくなる障害が生じたとすると，年額360万円×25.951（症状固定時30歳と仮定，67歳までの3％のライプニッツ係数）×5％（労働能力喪失率）＝467万1,180円の損害が発生し，それを賠償する責任を負うことになります。

それに加えて，先に説明したように，後遺障害に対する慰謝料110万円の賠償も必要です。

●**自動車運転死傷行為処罰法**

刑事責任について，自動車の運転により人を死亡させたり負傷させたりした場合，「自動車の運転により人を死傷させる行為等の処罰に関する法律」（自動車運転死傷行為処罰法）による責任を負い，罰金刑や懲役刑を受ける可能性があります。

たとえば，アルコールまたは薬物の影響により正常な運転が困難な状態で自動車を走行して人を負傷させた場合には，15年以下の懲役に処すると定められています（自動車運転死傷行為処罰法2条一号⇨p.136）。

05 はじめてのバイト
~雇用と労働の問題~

😊 面接

　リエは，高校2年生。春休みに友だちと北海道旅行をするため，9月からアルバイトをしてお金を貯めようと思っていた。

　そんなある日，新聞の折り込みチラシの中に，ケーキ屋のアルバイト募集の広告を見つけた。チラシに書いてあった番号に電話してみると，店長から「明日，面接に来てもらえますか？」と言われたので，さっそく行ってみることにした。

　店長の第一印象は，とても優しそうな人。ケーキ屋の店内もとてもキレイだ。

店　長「面接に来てくれてありがとう。
　　　　7月にオープンしたばかりなんだけど，アルバイトが急に何人も辞めちゃったから，すぐにでも来てくれるとありがたいんだけど…」
リ　エ「そうなんですか，わかりました。
　　　　ただ，できればアルバイトは週3回までにしていただけますか。
　　　　あと，家族が心配するほど帰りが遅くならないようにしてほしいんですが…」
店　長「じゃあ，週3回で，午後5時から9時までならどうかな？」
リ　エ「それなら，10時までに家に帰れるから大丈夫です」
店　長「あと，チラシにも書いたとおり，時給は1,000円だけど，それでいいかな？」

▶労働法はなぜ必要？　労働契約について◀

　仕事をすることとさせることは，労働契約と呼ばれます。**労働契約は，労働者が使用者（雇い主や会社）に使用されて労働し，使用者がこれに対して賃金を支払うことについて，双方が合意することで成立**します（労働契約法6条⇒p.143）。このように，労働契約も他の契約と同様，当事者間の合意によって成立します。

　そして，本来であれば，契約である以上，使用者と労働者が互いに労働条件を自由に決めることができます（契約自由の原則）。しかし，歴史的に使用者が労働者よりも優位な立場にあることを利用して，労働者に過酷な労働条件を強いたこともあり，**法律により一定の範囲で労働者を保護**しています（契約自由の原則の修正）。これには**労働の条件を示す労働基準法や労働者の団結を明記した労働組合法**があります。

　なお，最低賃金制度も，契約自由の原則を修正する一例です。

キーワード：労働契約／ハラスメント／労働条件

リ　エ「大丈夫です。早くバイトをはじめたいので，明日から来てもいいですか？」
店　長「大歓迎(かんげい)だよ。じゃあ，明日からよろしくね。
　　　　君の労働条件を書いた紙を用意しておくから，時間があるときに読んでおいて」

アルバイトの条件についての話が終わると，店長は奥にいる男性を紹介してくれた。

店　長「こちらはパテシくんです」
パテシ「パテシです。3月に製菓学校を卒業して，ここに就職したんだ」

パテシは，リエをじろじろ見ている。
リエは「なんかへんな感じだな」と思いながら，パテシに挨拶(あいさつ)をした。

リ　エ「これからよろしくお願いします」
パテシ「こちらこそよろしくね」

リエにとってはじめてのアルバイト，いまからわくわくしてきた。

▶働く前に知っておくとよい知識①◀

1．労働条件の明示
　労働契約を結ぶときには，労働条件を書面で明示する必要があります（労働基準法15条1項⇨p.141）。必要な項目は，**契約期間，働く場所，働く時間（休憩時間も含む），休日，賃金，仕事を辞(や)めるときに関する事項**などです。文書で見せてくれないこともあるので，見せてもらうようにしましょう。

2．最低賃金制度
　「**地域別最低賃金**」は，産業や職種にかかわらず，すべての労働者を対象として，都道府県別に定められています（一番高いのは東京都で時給1,041円，一番低いのは沖縄県と高知県で，時給820円です〈2021年10月末時点〉）。そのほかに，「**特定（産業別）最低賃金**」があります（2022年1月現在，全国で226件）。

3．給料の通貨払い・全額払いの原則
　使用者は労働者に対し，**給料を現金で支払わなければいけません**（賃金の通貨払いの原則：労働基準法24条1項⇨p.141）。
　また，給料について，天引(てんび)き（一定の金銭をあらかじめ差し引き）したうえで支払うことは，一定の要件を満たさなければ認められません（賃金の全額払いの原則）。たとえば，労働者が使用者からお金を借りていたとしても，労働者のちゃんとした同意がない限り，いったんは給料全額を支払わなければなりません（もちろん，使用者から借りたお金は返さなければいけません）。

4．年少者の深夜労働
　18歳未満の年少者は，原則として**午後10時から午前5時までは労働することができません**（労働基準法61条1項⇨p.141）。

働く時間はいつからいつまで？

アルバイト初日，リエは午後5時ぴったりにケーキ屋に到着した。

リ　エ「今日からよろしくお願いします！」

パテシがなにか意味ありげに店長の顔を見ると，店長は軽くうなずいた。

パテシ「おい，新入り。初日から，なんで来るのがこんなに遅いんだよ。もう5時だよ」
リ　エ「えっ？　店長からは，5時からだと聞いているんですが…」
パテシ「なに言ってるの？　5時15分前には来て，制服に着替えて手洗いして…商品の補充をしておかないと，5時からレジに入れないでしょ？」
リ　エ（驚いた様子で）「えー，そうなんですか。すみませんでした。今度から気をつけます」

リエは，とっさに謝ってしまったが，「次回から15分前に来ないといけないんだろうか」と思った。

▶働く前に知っておくとよい知識②◀

5．労働時間（働く時間）
使用者は，原則として，労働者に対して**1週間に40時間，1日に8時間を超える労働をさせてはいけません**（労働基準法32条⇒p.141）。ただし，業種により例外があるほか，一定の要件がある場合は，この限りではありません。

6．賃金が割増しになる労働時間
8時間を超えた労働については，時間外労働といって，25％増しの賃金を支払わないといけないことになっています。**午後10時以降の深夜の労働**にも割増しの賃金を支払わなければいけません。

7．給料が支払われる労働
労働時間とは**実際に労働する時間**を意味し，休憩時間を含みません。また，給料は1分単位で計算されます。

ただし，実際に労働する時間といっても，身体を動かしたり作業をしたりしている時間だけではありません。たとえば，仕事前後の更衣時間（着替えの時間）や仕事の準備作業といった，**仕事をするうえで必要な時間であれば，労働時間に含まれる**ことになります。これには，「使用者の指揮下」という言葉が使われ，制服のある職場であれば，着替えないと仕事ができません。制服に着替えることも「使用者の指揮下の労働」にあたるので，労働時間に含まれます。絶対に参加しなければならない研修にも，最低賃金以上の賃金が支払われなければなりません。

リエは，5時15分前に来なければならないのだとしたら，4時45分からの賃金がもらえることになります。

バイト先でいやな思いをしたくない！

リエは，アルバイトをはじめた当初から気になっていたことがあった。それは，みんなで使うロッカールームの壁に水着姿のグラビアアイドルのポスターが貼られていること。リエは店長に苦情を言うことにした。

リ　エ「ロッカールームのあのポスター，着替えるたびに目に入ってきて，すごくいやなんですけど。どうにかできませんか」
店　長「あれ，パテシ君のだろ。あいつの趣味だからしょうがないよ。みんなのロッカールームなんだから，しょうがないでしょ」

リエははがしてほしいと思ったけれど，「わかりました」といったん引き下がった。また，バイト終わりにパテシがしつこく話しかけてくることがあった。

パテシ「リエさん，君，彼氏いるの？」
リ　エ「いませんけど…　なんでそんなこと聞くんですか？」

▶セクハラとパワハラ◀

セクハラはセクシュアル・ハラスメントを略した言葉で，以下の二つのタイプがあります。
(1) **対価型（代償型）**…上司と部下，教員と学生というように，**地位や身分を利用して**，食事に誘ったり，つき合いを強要し，断ると不利益が起こるタイプ
(2) **環境型**…**性的なジョークや容姿についての発言など**で，被害者に性的な嫌悪感を与え，その業務遂行や職場環境に悪影響をもたらすタイプ

パワハラはパワー・ハラスメントを略した言葉で，職場において行われる①優越的な関係を背景とした言動で，②業務上必要かつ相当な範囲をこえたものにより，③労働者の就業環境が害されるもので，①から③までの三つの要素をすべて満たすものをいいます。

2020年6月1日より改正労働施策総合推進法が施行されました。その中には，職場内のパワハラを防止する規定が盛り込まれています。パワハラの基準を法律で定めることにより，防止措置を企業に義務化しハラスメント対策の強化を促す目的があります。

使用者は労働者に対して，セクハラやパワハラといった事象が起きないように職場環境を整備する義務があり，このような現象を放置していた場合，使用者が労働者に対して損害賠償義務を負うこともあります。

パテシ「彼氏がいないんなら，オレが家まで送って行ってあげようか？」
リ　エ「いや，一人で大丈夫です」
パテシ「そんなこと言わずに，いいじゃない」
リ　エ「もう，しつこいですよ。いい加減にしてください」
パテシ「そんなに怒らないでよ。お詫びに肩をもんであげようか？」
リ　エ「きゃ〜。触らないでください！」

　パテシは，リエがいやがっているのにもかかわらず，まったくそれに気づいていないのか，反省している様子がなかった。そこでリエは，店長にパテシとのやりとりをすべて話した。すると，「さすがにそれは問題だな」と言って，すぐにパテシを呼び出して話をしていた。
　二人の間でどのような話があったのかはわからないが，その後，パテシがリエにしつこく話しかけてくることもなくなり，いつのまにかポスターも壁からはがされていた。

バイト先で "辞めろ" といわれたら従わないといけないの？

　ある日，リエは，学校帰りに家に寄って少しだけ昼寝をしようと思ったところ，寝坊してアルバイトに30分遅刻してしまった。

リ　エ「店長，遅れてしまってすみません。
　　　　制服に着替えて，すぐに仕事をします」
店　長「早くしてよ，今日はいつもより忙しいんだから」

　リエは急いで制服に着替えて，作業にかかった。
　ところが，かなりあわてていたため，かかえていた三つの箱を床に落としてしまい，中に入っていたデコレーションケーキをすべてつぶしてしまった。
　物が落ちた大きな音を聞いて，店長がリエのもとに駆けつけた。

店　長「どうしたんだ，すごい音がしたぞ」
リ　エ「すみません，箱を落としてしまって。中に入っている商品がつぶれちゃいました」
店　長「遅刻もして，店の商品もダメにするってどういうことだよ。
　　　　もう，今日で辞めてもらうよ！」
リ　エ「店長，本当にすみませんでした。でも，急にそんなこと言われても…」
パテシ「やけに騒がしいですね。いったいどうしたんですか？」

店　　長「リエちゃんが遅刻もするし，店の商品を壊すし，どうしようもないから今日で辞めてもらおうと思って」

パテシ「えっ，そんな急に…
　　　　リエちゃんも悪気はなかったと思いますから，そんなことを言わずに，ダメになった商品を弁償してもらったらどうですか？」

店　　長「う～ん。でも，もう信じられないよ」

　その後も，店長はリエにぶつぶつと文句を言っていたが，しばらくすると腹の虫もおさまったのか，結局，リエを辞めさせるという話はなくなっていた。

ケーキを買わされる？

　12月に入り，クリスマスのシーズンになった。アルバイト一人あたり，10個のクリスマスケーキを売らなければならないというノルマが設けられた。店長はケーキ屋をやっている知人がノルマを設けていることを聞き，同じことをしようとしたのだった。
　リエは，家族や親せき，友だちに頼みまくったが，12月24日を過ぎても6個しか売ることができず，ノルマを達成できなかった。

▶働く前に知っておくとよい知識③◀

8．解雇
　解雇とは労働契約の終了を意味します。解雇は，**合理的な理由がない場合には無効になります**（労働契約法16条⇨p.143）。たとえば，無断欠勤が多いとか，作業ミスを連続して業務の遂行能力がないと認められたときなどが，合理的理由となることがあります。今回のリエの場合では解雇できない可能性が高いです。

9．仕事と罰金
　人が仕事をしていくうえで，ミスが発生しないということはまずありません。したがって，「仕事上でミスをした場合は，○○円の賠償をすること」というように，独自のルールを設定しても，法的な効力はありません。
　基本的に，**従業員の些細な不注意により会社に損害を与えてしまっても，損害賠償する必要はありません**。ただ，日常的なミスをこえて本人に重大な過失があった場合，たとえば，運転業務であるにもかかわらず飲酒運転をした場合などは，損害賠償しなければならないこともあります。
　賃金支払いについて「直接労働者に，その全額を支払わなければならない」と規定しています（労働基準法24条1項⇨p.141）。**「罰金」として給料から一方的に天引きすることも明らかに法律違反**となり，そういう契約もできません（賠償予定の禁止：労働基準法16条⇨p.141）。

リ　エ「店長，6個売れたのですが，あと4個はムリでした」
店　長「わかった。売れなかった4個のケーキはあげるけど，その代金を1月の給料から
　　　　引かせてもらうよ」
リ　エ「そんなぁ〜」

　リエ以外にもノルマが達成できなかった人がいて，店長に「給料から差し引くのはおかしい」と訴えた。店長も開店してすぐに数名のアルバイトが辞めたことを思い出し，今回も辞められたら困ると思ったのか，給料から差し引くという話はなくなった。

アルバイトはいつでも辞められるの？

　リエは約5か月間アルバイトに励み，目標にしていた旅行に行けるだけの金額が貯まったので，ケーキ屋でのアルバイトを辞めることにした。
　そこで1月末に，店長にアルバイトを辞めることを伝えた。

リ　エ「いままでありがとうございました。
　　　　目標額が貯まったので，2月末でアルバイトを辞めさせてください」
店　長「ええっ？　辞めるの？
　　　　別の子を探してこないと，辞められないよ」

▶仕事とノルマ◀

　仕事の業績を上げるうえで，ノルマや目標を設定することは，さまざまな職場で行われています。**本人が努力しても到底達成することのできないノルマや目標を設定したり**，今回のリエのアルバイト先のケーキ屋のように，**ノルマを達成できなかったら本人の給料から天引きしたりするのは，違法です**。いらないものを強制的に買わせることも，同様に違法です。

▶働く前に知っておくとよい知識④◀

10. 退職

　労働者が自分から申し出て仕事を辞める場合，契約上，雇用期間を決めていなかったときには，**あらかじめ2週間前に通知すれば辞めることができます**。期間によって報酬を定められている場合には，さらに退職まで時間を要することがあります（民法627条1項⇒p.131）。

　雇用期間を決めていたときには，使用者の了解がなければ原則として契約を終了することができません。

リエは，店長の言っていることはおかしいと思いながらも，とりあえず「わかりました」と言った。リエは，7月末に店長になにも言わずにアルバイトを辞めた人の話を，パテシから聞いていた。勝手には辞めたくないと思っていたので，店長に退職することを告げたが，店長は別のアルバイトを連れて来いという。

　どうしようか迷っているときに，学校で法律の専門家を招いた授業があったことを思い出した。労働相談のホームページを見てみると，「アルバイトの場合，2週間前までに辞めることを伝えれば，法律的には問題ない」ことがわかった。

　2月上旬，ホームページの退職にかかわる部分を印刷して店長に見せ，あらためて2月末に辞めたいと話した。今回はすんなりと退職できることになった。

アルバイトが終わって

　アルバイト期間中に思ったよりお金が貯まったので，3泊4日の予定だった北海道旅行を4泊5日にすることができた。

　北海道から帰ってきた日，自分の部屋に入ると，机の上に手紙が置いてあった。店長からだ。

　リエは，「まぁ，いろいろあったけど，落ち着いたら店長のところにまた行ってみようかな。春からまたバイトをはじめて，今度はハワイにでも行こうかなぁ」と思った。

　リエは，店長からの手紙を読んで，そのまま自分の机の引出しにしまった。

> リエちゃん，短い間だったけど，ウチで働いてくれてありがとう。私はサラリーマンを辞めてこのケーキ屋をはじめたこともあって，あまり法律のことがわからなくて，君にも迷惑をかけたと思う。私もいろいろ勉強になりました。また，時間があいたらぜひ来てください。リエちゃんの笑顔を楽しみにしています。

▶働く前に知っておくとよい知識⑤◀

11. 年次有給休暇について

　年次有給休暇とは，一定期間勤続した労働者に対して，心身の疲労を回復しゆとりある生活を保障するために付与される休暇のことで，「有給」で休むことができる，すなわち**取得しても賃金が減額されない休暇**のことです。

　年次有給休暇が付与される条件は二つあります。(1) 雇い入れの日から6か月が経過していること，(2) その期間の全労働日の8割以上出勤したことです。この二つの条件を満たしていれば，**アルバイトであっても有給休暇をとる権利があります**（労働基準法39条⇨p.141）。

06 カタチのないものを守れ
～知的財産権～

マンガがタダで読める？

　ある金曜日，学校からの帰り道。マモルはクラスメイトのヒロシの姿を見つけた。ヒロシはスマホの画面を見ながら，マモルの前を歩いている。

マモル「ヒロシ！　お疲れっ」
ヒロシ「あぁ，マモルか」
マモル「なに見てたの？」
ヒロシ「決まってるだろ。あのマンガの最新話だよ。今日，発売されたやつ」

　マモルがのぞき込むと，ヒロシのスマホの画面にはマンガの一コマが表示されていた。それは高校生に大人気のマンガで，マモルももちろん読んでいる。

マモル「えっ？　いいなぁ。オレも読みたいな」
ヒロシ「あとでコピーして，スマホに送ってやるよ」
マモル「ほんと？　ありがとう！　でも，これってタダなの？」
ヒロシ「オレも毎回読んでるけど，別に金なんかとられないよ。このサイトは，マンガだけじゃなくて，最新の映画とか音楽とかもダウンロードできるんだぜ」
マモル「ふーん」

　マモルは，どうして本屋で売っているマンガが発売日にタダで読めるのか不思議だったが，そのことに問題があるとはまったく考えなかった。それよりも，「お金を払わずに最新のマンガが読めるなんてラッキー！」と思っていた。

夢はマンガ家

　土曜日，マモルは中学時代からの親友リエと，将来の夢について話をしていた。

リ　エ「じつは私，将来はマンガ家になりたいんだ。
　　　　でも，親からは，マンガ家なんてそんな簡単になれるものじゃないんだから，もっと別の道を考えなさいって言われてるの」

キーワード：著作権／商標／意匠権

マモル 「リエは絵もうまいし，いまだって自分でマンガを描いてるよね。挑戦する前から諦めるのはもったいないと思うけどなぁ」

リエ 「あと，親が言うには，最近はマンガが売れなくなってるんだって。みんなマンガにお金を払わなくなってるから，たとえマンガ家になれたとしても，相当な売れっ子にならない限り，生活していくのは難しいんじゃないかって」

マモル 「どういうこと？」

リエ 「ネットでお金を払わずにマンガが読めたり，実際に読まなくても内容がわかるサイトがあったりするから，みんなマンガを買わなくなってるんだって」

マモル 「ふ〜ん」

マモルはリエとの会話から，昨日のヒロシとのやりとりをマンガの作り手の側に立って考え直してみた。

マモル 「そうだよなぁ。みんながタダでマンガを読むことができたら，マンガを描いてる人たちは困るよなぁ。そういう人たちの生活って守れないのかなぁ」

教えて！ ユミさん

日曜日，マモルはリエのおばであるユミさんに会いに行った。ユミさんはいろいろなことをよく知っていて，何度かマモルの相談に乗ってくれたことがある。

ユミ 「なるほど。たしかに最近は，ネットにマンガが勝手にアップされていることがあるね。あれは著作権侵害の可能性があるよ」

マモル 「チョサクケン？」

ユミ 「本や音楽などの作品は，難しい言葉でいうと『著作物』といって，それを作った人には『著作権』という権利が認められているの。著作権は作者が死んでから70年間は守られるの」

マモル 「それってどういうこと？」

ユ　ミ「たとえば，著作権の持ち主は，作品の内容を勝手にコピーしたり，改変(かいへん)したりしないように請求することができるの」

マモル「コピーもダメなの？」

ユ　ミ「うん，ダメ。だから，ヒロシ君が利用しているそのサイトを作っている人が，著作権の持ち主から許可をもらわずに，ネット上にマンガをそのままアップしていたとしたら，著作権法違反(いはん)になってしまう。もちろん，映画や音楽も同じだよ」

マモル「えぇーっ！　じゃあ，ヒロシも犯罪者になっちゃうの？」

ユ　ミ「違法にアップロードされた著作物をただ見るだけだったら，犯罪になるというわけではないよ。でも，もしもヒロシ君が，違法にアップロードされたマンガや映画をダウンロードして保存したりしていたとしたら，その行為は著作権法違反にあたる可能性がある」

マモル「アップロードした人だけじゃなくて，ダウンロードした人も犯罪をおかしたことになっちゃうんだね」

ユ　ミ「そのとおり。マンガや小説，映画，音楽のほかにも，目に見えないもの，たとえば音楽のメロディの一部や歌詞，あと新しい考え方，アイデアとか，そういうものも権利として守られているんだよ」

マモル「考え方も!?」

ユ　ミ「そういうのを全部ひっくるめて知的財産といって，それを保護する権利を知的財産権っていうの」

著作権法で保護される権利

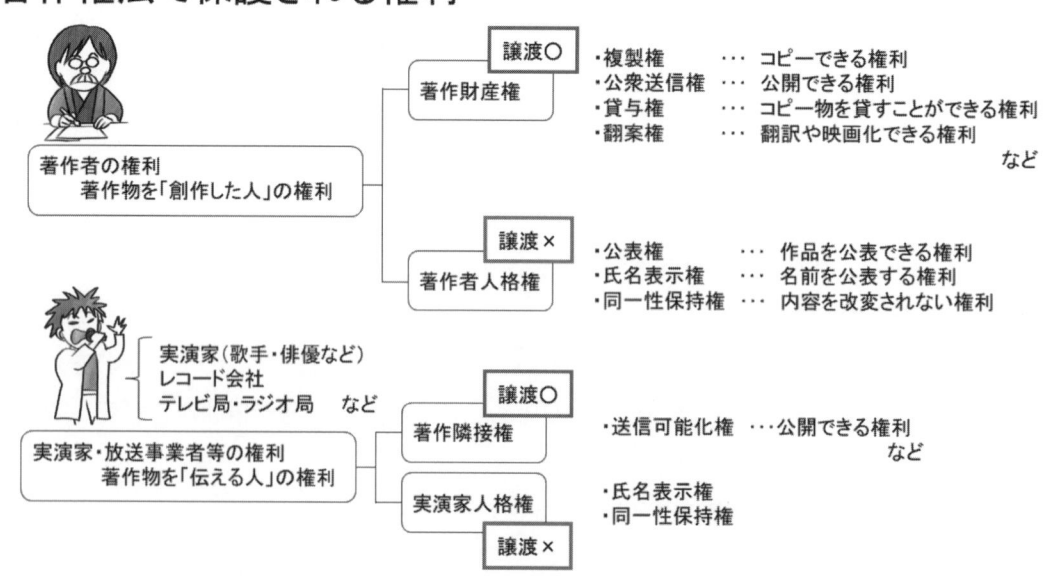

著作者の権利
著作物を「創作した人」の権利

- 著作財産権　譲渡○
  - 複製権　　　…　コピーできる権利
  - 公衆送信権　…　公開できる権利
  - 貸与権　　　…　コピー物を貸すことができる権利
  - 翻案権　　　…　翻訳や映画化できる権利
  - など

- 著作者人格権　譲渡×
  - 公表権　　　　…　作品を公表できる権利
  - 氏名表示権　　…　名前を公表する権利
  - 同一性保持権　…　内容を改変されない権利

実演家・放送事業者等の権利
著作物を「伝える人」の権利

実演家（歌手・俳優など）
レコード会社
テレビ局・ラジオ局　など

- 著作隣接権　譲渡○
  - 送信可能化権　…公開できる権利
  - など

- 実演家人格権　譲渡×
  - 氏名表示権
  - 同一性保持権

マモル「へぇ…」

ユ ミ「著作権以外にも，特許権や意匠権，商標権なんていうのもある。いま，マモル君が飲んでるジュースの缶についてる飲料メーカーのマーク，これも商標として守られているから，関係のない人が勝手に使ったりしたら訴えられちゃうんだよ」

マモル「へぇ。マークひとつにも価値があって，権利として守られているんだ」

ユ ミ「ほかにも，私たちの身の周りには知的財産と呼べるものや，知的財産権で守られているものは，気がついていないだけで結構多いよ。
ちょっとクイズを出してみるから答えてみて」（クイズは p.48〜49）

マモル「なるほど，目に見えないものでも，財産や権利はたくさんあるんだね」

ユ ミ「最近はネットで多くの情報がタダで手に入るようになったから，知らず知らずのうちに知的財産権を侵害していることも多いんだ。ところで，どうして法律で財産や権利が認められていると思う？」

マモル「えっ？　どうしてって…　せっかく作ったのにタダでコピーされたら，リエはマンガを描くことで食べていけなくなるじゃないか」

ユ ミ「うん，そうだね。カタチのないものにお金を払ったり，権利を認めたりすることに抵抗を感じる人も多いけど，カタチのないものに権利を認めることで，はじめてそれを作ることを仕事にすることができるんだよ。だから，知的財産権を守ることは，それを作った人たちの権利や生活を守ることなの」

マモル「著作権や知的財産権って，最初はなんだかよくわからなかったけど，すごく大事なことなんだね。明日，リエにも教えてあげようっと」

ユ ミ「ところで，マモル君はいつからリエとそんなに仲よくなったの？
今度，二人で家に遊びにいらっしゃい」

マモル「うへぇ…」

▶**知的財産権**◀　（⇨ p.138〜140）

知的財産とは，新しい技術や発明，デザイン，仕事をするうえで重要なノウハウなど，**人の知的創作活動の成果そのもの**です。これに対して，その**知的財産をいろいろな形の権利として守るもの**が知的財産権です。

おもなものとして，次のような知的財産権があります。

・著作権…音楽や本，絵画，映画などの**著作物**を保護する権利。
・商標権…商品，またはサービスについて使用する**商標（マークロゴ）**を保護する権利。
・特許権…**発明**を保護する権利。
・意匠権…物や建築物などの**デザイン**を保護する権利。

47

Q&A 知的財産権クイズ

ユミが次々と出してきたクイズに，マモルはほとんど正解することができませんでした。どのようなことが知的財産権の侵害にあたるのか，次のクイズで確認してみましょう。

Q1 好きなアイドルグループの楽曲を，自分で演奏して歌っているところを動画撮影し，動画投稿サイトに公開しました。これは著作権侵害にあたるでしょうか？

A1 著作者の権利を侵害する場合としない場合があります。

楽曲を作成した作詞者や作曲者には著作者の権利があるので，動画投稿サイトに楽曲を歌っているところを投稿するには，権利を管理している団体（JASRAC・一般社団法人日本音楽著作権協会など）の許諾を得ることが必要です。許諾を得ずに楽曲を動画投稿サイトに公開すると，作詞者や作曲者が持つ権利（著作財産権の一つである公衆送信権）を侵害する可能性があります。ただし，動画投稿サイトのなかには，著作権管理団体との間で，「動画の投稿者が個別に許諾を得なくても，楽曲を投稿できる」という許諾契約を締結しているものもあるので，その場合は，著作権管理団体が管理している楽曲であれば権利の侵害にはなりません。

動画投稿サイトの規約に，許諾について記載されていることが多いので，利用している動画投稿サイトの規約を確認しましょう。

Q2 友だちといっしょにカラオケに行き，歌っているところを撮影し，動画投稿サイトに公開しました。これは著作権侵害にあたりますか？

A2 著作権の侵害になります。

Q1で解説したように，動画投稿サイトが著作権管理団体との間で一括して許諾契約を締結している場合には，その楽曲を投稿すること自体は作詞者や作曲者が持つ著作者の権利を侵害することにはなりません。しかし，楽曲にはこれ以外に，レコード会社などが持つ「音源」の利用に関する著作隣接権という権利があります。著作権管理団体は著作隣接権については管理していないので，カラオケの音源をそのまま利用することは，レコード会社などが持つ「音源」の利用に関する著作隣接権（送信可能化権）を侵害することになります。

③ インターネット上で見つけてきた写真を，自分のSNSに載せました。私的な利用なので問題ないでしょうか？

③ 基本的に著作権の侵害になります。

　写真は撮影した人に著作者の権利があります。ですから，許諾を得ないで，他人が撮影した写真をSNSに載せたのであれば，著作財産権（公衆送信権）の侵害にあたります。しかし，「著作権フリー」「フリー素材」などと明記されていて，利用規約範囲内での使用を認めている写真であれば，違法にはなりません。こちらもQ1と同様，事前に写真の利用規約を確認するようにしましょう。

　このように，著作権法が定める「著作物」には，文章や音楽ばかりでなく，コンピュータのプログラムや写真など，さまざまなものがあります。このほか，映画や絵画，建築物やダンスの振り付けなども「著作物」になります。

④ 高校の文化祭のときにクラスのみんなで着るため，人気アニメのキャラクターを少しアレンジしたものをプリントしたTシャツをつくりました。そのTシャツを販売するわけではないので，問題ないでしょうか？

④ アニメのキャラクター等，著作物を利用するためには著作者の許諾が必要です。

　許諾を得ずにキャラクターをTシャツのデザインに使用した場合は，著作者が持つ著作財産権（複製権）を侵害していることになります。また，アレンジして利用する場合でも，著作者の許諾を得ずに元のキャラクターを利用すると，著作者人格権（同一性保持権）の侵害にあたります。

　とくに，みんなでそのTシャツを着た写真を撮ってSNSに投稿した場合など，広く他人の目に触れ，大きな問題になりかねないので注意が必要です。

　なお，文化祭で有名ブランドのロゴマークなどを使用したいこともあるでしょう。しかし，有名ブランドのロゴマークなどの多くは商標登録されています。商標権を侵害しないように注意することが必要です。

▶知的財産を守る意義◀

　近年，IT産業やアニメ，映画などのコンテンツ産業が日本の重要な産業となってきました。このような**知的財産を守ることは，「カタチのないもの」にかかわる産業，そして日本経済の活性化にもつながります**。そのため，2003年から内閣に知的財産戦略本部が設置され，知的財産推進計画を毎年作成するようになるなど，国をあげて知的財産の保護・活用に本格的に取り組むようになってきました。

　みなさんも身近にある知的財産権を探してみましょう。そうすれば，スマホで曲をダウンロードするときにかかる代金にも著作権料が含まれていることなど，**身の周りに知的財産にかかわることが意外に多い**ことに気づくはずです。そこから，どうして知的財産権が大切なのか，もう一度考えてみましょう。

07 クラスメイトが逮捕されてしまった！
～少年事件（窃盗事件）～

一本の電話

　　ある日の昼下がり，事務所で仕事をしていた弁護士のもとに，電話がかかってきた。電話の声の主は，マモルだった。
　　マモルは高校生で，以前，彼が交通事故事件を起こしたときに相談を受けたことがある。

　　受話器の向こうから，不安そうなマモルの声が聞こえてきた。

マ　モ　ル「先生，クラスメイトのヒロシが，万引きをして警察に逮捕されてしまったんです。それで，どうしたらいいのかわからなくて，先生に電話してしまいました」
弁　護　士「それは大変だ。私がヒロシ君の保護者の方から話を聞いてみようか？ ヒロシ君の保護者の方と連絡はとれる？」
マ　モ　ル「いま，ちょうどヒロシのお母さんが隣にいるので，電話を替わります」

　　マモルから電話を替わったヒロシの母の声は，途方に暮れた様子だった。

ヒロシの母「先生，私はどうしたらいいのでしょうか…
　　　　　　今朝突然，警察官が家にやって来て，息子を連れて行ってしまったのです」

　　ヒロシがやったことについて，ヒロシの母は，ポツリポツリと話してくれた。

ヒロシの母「あの子，また万引きをしたみたいなのです。
　　　　　　じつはあの子，前にも万引きしたことがあって，私が警察に迎えに行ったんです。
　　　　　　そのときは，泣きながら『もうやらない』と言ってくれたのに…」
弁　護　士「事情は大体わかりました。とりあえず，いまから警察に行って，ヒロシ君に会ってきます。そのあと，またお母さんに連絡しますね」

　　弁護士の言葉を聞いて，ヒロシの母は，少し落ち着きを取り戻したようだった。
　　弁護士はヒロシに会うため，事務所を出た。

キーワード：成年年齢／少年法／家庭裁判所

弁護士とのはじめての面会

警察に着いた弁護士は，さっそくヒロシと面会した。

弁護士「ヒロシ君，はじめまして。
　　　　私はお母さんから話を聞いて，ヒロシ君
　　　　に会いにきた弁護士です」

突然の弁護士の訪問に，ヒロシは少し驚いたようだった。

ヒロシ「弁護士さん…　弁護士さんがどうしてここに？」

弁護士はヒロシに，自分は「ヒロシの味方になるため，ここにやって来た」と伝えた。するとヒロシは，自分の不安な気持ちを吐き出すように，弁護士に尋ねた。

ヒロシ「僕はいつまでここにいなければならないんですか。
　　　　もう家には帰れないんですか。早く家に帰りたいです。
　　　　事件のことは，みんなに知られてしまうんですか。
　　　　高校は退学になるんでしょうか」

弁護士は，まず事情を聞くために，ヒロシをなだめた。

弁護士「ヒロシ君，少し落ち着いて。
　　　　まず，弁護士には守秘義務があるから，ヒロシ君の同意なしにヒロシ君から聴いたことや事件のことを，誰かに話したりすることはないよ。
　　　　だから，安心して話して。
　　　　ヒロシ君，今回万引きで逮捕されたと聞いたけど，なにか心あたりはある？」

弁護士の言葉にやや落ち着きを取り戻したヒロシは，事件のことを話し出した。

ヒロシ「僕，Ｔシャツを万引きしてしまったんです」
弁護士「どうして万引きなんかしたの？」

ヒロシ 「先週, ショッピングモールをブラブラしていたら, カッコいいＴシャツがあって, ものすごく気に入ってしまったんです。
　　　　どうしてもほしくなったけど, 3,500円もしたんです。
　　　　でも, そのときお金がなくて…
　　　　すごく迷ったけど, Ｔシャツを持ってそのまま店を出てしまいました」
弁護士 「お店の人は, どうしてヒロシ君が万引きしたとわかったのかな」
ヒロシ 「店の外に出たらすぐに店の人が追いかけてきて, "これはやばい"と思って逃げたんですが, 逃げる途中で財布を落としたみたいで…
　　　　財布に入れていた学生証から僕のことがわかったみたいです」

弁護士は, ヒロシがどんな気持ちでいたのか, さらに尋ねていった。

弁護士 「ヒロシ君は, 万引きがお店の人に見つかったことをわかっていたんだね。
　　　　そのとき, 自分から店に謝りに行こうとは考えなかった？」
ヒロシ 「引き返して謝りに行こうかとも考えたけど, やっぱり怖くて…
　　　　そのまま家に帰ってきてしまいました」
弁護士 「万引きしたこと, 誰にも相談しなかったの？
　　　　相談するのも難しかったのかな」
ヒロシ 「親は忙しいし, 普段もあまり話せていなくて。
　　　　こんなこと誰にも言えないし…
　　　　捕まるかもしれないとか, みんなにバレるかもしれないとか…
　　　　そんな気持ちでずっとビクビクしていました」

ヒロシの言葉にウソはなさそうだった。

弁護士 「ヒロシ君も十分わかっていると思うけど, 万引きは犯罪だよね。
　　　　大変なことをしてしまったこと, わかっているよね？」

弁護士は，正直に打ち明けてくれるヒロシが，どうして万引きをするようになったのかを尋ねてみた。

弁護士「万引きは今回がはじめて？」
ヒロシ「いえ，前にもしたことがあります」
弁護士「そうなんだ…。どうしてヒロシ君は万引きをするようになったのかな」
ヒロシ「最初は，夜いっしょに遊ぶようになった友だちと，ゲーム感覚でやってしまいました。スリル感がたまらなかったのです」
弁護士「なるほどね。
　　　　じゃあ，今回もその友だちといっしょに万引きしたの？」
ヒロシ「いいえ。今回は僕一人です」
弁護士「そうなんだ，わかった。
　　　　これから，万引きがどうしていけないことなのか，やってはいけないことをどうしてやってしまったのか，ゆっくり振り返っていこうね」

　ヒロシの話によれば，今朝，警察に行って細かく事情を聴かれてから，逮捕されたとのことだった。
　こうして弁護士は，ヒロシの万引き事件を担当することになった。

事件のゆくえ

　ひととおり，事件について聴き取ったあと，弁護士はヒロシにこれからのことを説明した。

弁護士「通常は，警察が事件を担当して，明日か明後日から10日間，ヒロシ君はこの事件のことをいろいろと調べられることになる。これを『勾留』というのだけれど，場所は，警察署のこともあれば，少年鑑別所になることもある。
　　　　そして『勾留』期間が過ぎたら，今度は家庭裁判所が事件を担当することになって，4週間くらい，少年鑑別所で事件のことだけでなく，ヒロシ君のことをもっといろいろ調べることになるんだ。この期間を観護措置期間というんだけど，そのあとで，ヒロシ君の処分を決める『審判』が開かれるんだよ」

　ヒロシは，警察から調べられると聞いて，とても不安になってきた。

ヒロシ「弁護士さん,僕ははっきり覚えていないこととかもあって…
　　　　警察に聞かれたらどう答えたらいいんですか?」
弁護士「ヒロシ君には,言いたくないことは言わなくていい権利があるんだ。
　　　　これを黙秘権（もくひけん）というのだけれど。
　　　　記憶のないところは"覚えていない"と言えばいい。
　　　　ただ,黙秘権は,ウソを言う権利ではないから注意して」

　それにしても,ヒロシが思っていたより,処分の決定までには時間がかかるようだ。学校に行けなくなるのか,家に帰れなくなるのか,ヒロシはこの点も不安になってきた。
　いつもの元気はどこへやら,ヒロシの声は消え入りそうだった。

ヒロシ「高校は退学になるんですか?
　　　　僕,少年院に行くことになるんですか?」
弁護士「それはヒロシ君しだいだよ。
　　　　家庭裁判所の審判まで時間があるから,ヒロシ君はまず,お店にどんな迷惑をかけたか,被害者のことをしっかり考えること。
　　　　これまでに自分がやったことを振り返ったり,これからどうしていくのかを考えたりしないとね」
ヒロシ「わかりました。
　　　　あと…
　　　　僕は家庭裁判所の審判の日まで,このまま誰にも会えないんでしょうか」
弁護士「今日,私がヒロシ君に会ってきたこともお母さんに連絡するから。
　　　　そのときに,できるだけ早く面会に来てもらえるようにお願いしておくね」

少年鑑別所での面会　〜振り返りと気づき①〜

　ヒロシが観護措置となってから数日後,弁護士は少年鑑別所でヒロシと面会した。ヒロシは,観護措置となったことにともない,警察署からこちらに移っていた。
　少年鑑別所とは,少年の非行等に影響（えいきょう）を及ぼした要因を医学・心理学等の専門的知識を使って明らかにし,改善のための指針を示すために少年が収容される施設のことである。
　少年鑑別所では,専門家による面接や,心理テスト等が行われる。

弁護士「この前の面会から今日までに,どんなことがあったかな?」

ヒロシ「昨日は心理テストを受けました。
　　　　今日の午前中は家庭裁判所の調査官が来て，話をしました」
弁護士「調査官とは，どんな話をしたの？」
ヒロシ「今回の事件のこと。あと，これまで何回ぐらい万引きをしたのかとか，はじめて
　　　　万引きをしたのはいつかとか。
　　　　来週また来るって…
　　　　次は子どものときのことや，家族や学校のことを聞かれるみたいです」
弁護士「事件のことというより，ヒロシ君自身のことを調べているんだね」

弁護士は，続けて少年鑑別所での生活について尋ねた。

弁護士「鑑別所ではどのように過ごしているの？」
ヒロシ「お風呂は決まった日に入って，ご飯は三食ともお弁当。
　　　　運動ができる日も決まっています。
　　　　昼間は本を読んだり貼り絵をしたり，あと，いろいろな検査を受けることもあり
　　　　ます。ほかには，調査官や鑑別所の先生と面談とかがあります」
弁護士「温かいご飯は出ないんだね。それにしても，いろいろ決まりごとが多いね。
　　　　そんな生活，きつくない？」
ヒロシ「正直言ってきついです。普段は，学校から帰ると家には誰もいなかったから好き
　　　　なだけ遊べたし，お腹が空けばコンビニで好きなものを買って食べられたのに，
　　　　いまは自由がまったくありません」
弁護士「厳しいことを言うけど，ヒロシ君のいう『自由』というのは，ただの『勝手気ま
　　　　ま』にすぎなかったのかもしれないね。
　　　　鑑別所で規則正しい生活習慣を身につけるのも勉強だよ」

いままで謳歌していた自由な生活を"勝手気まま"と言われ，ヒロシはシュンとした。
弁護士はさらに質問を続けていった。

弁護士「ところで，誰か面会に来てくれた？」
ヒロシ「父と母が来てくれます。
　　　　二人とも働いてるし，忙しいはずなのに，ほぼ毎日来てくれて…」
弁護士「いいご両親じゃない，よかったね。
　　　　面会のときはどんな話をしているの？」

ヒロシ「体調のこととか，学校のこととか…」
弁護士「今回の万引きについては，なにか話しているの？」
ヒロシ『お店の店長に謝りに行く』って言っていました」
弁護士「ヒロシ君自身はお店の人に対してどう思っているの？」
ヒロシ「迷惑をかけたなぁって…
　　　悪いことをしたと思っています」
弁護士「万引きをすると，お店にはどんな被害が出ると思う？」
ヒロシ「…」
弁護士「商品の仕入れ代やお店の家賃や光熱費，店員さんの人件費…
　　　そういった費用や店員さんたちのお給料を商品の売り上げから支払って，そのう
　　　えで店として利益を出さないといけないよね。
　　　どんなに小さいものでも，もし商品を万引きされたら，お店は利益も出せないし
　　　費用も払えない。お店にとってダメージが大きいんだよ。
　　　今回みたいに警察が来たり，事情を聴くために警察に呼ばれたりすれば，お店を
　　　閉めなくちゃいけないから，その分の売り上げも減るよね」
ヒロシ「そこまで考えたことがありませんでした。
　　　僕はどうしたらいいんでしょうか」
弁護士「そうだねぇ…
　　　ヒロシ君のいまの気持ちを手紙に書いてごらん」
ヒロシ「僕，文章力があまりないのですが，大丈夫でしょうか」
弁護士「とりあえず一度書いてみて。
　　　書いた内容を見ながら話し合って，気づいたことがあれば，また書き直せばいい
　　　じゃない」
ヒロシ「わかりました。
　　　書いた手紙はどうすればいいですか」
弁護士「近いうちにご両親といっしょにお店に謝りに行くから…
　　　そのときに店長に渡すよ」
ヒロシ「よろしくお願いします」

　こうしてヒロシは，弁護士との面会のたびに，万引きが被害者に与えるダメージや万引き
をしていたときの生活，そのときの気持ちの振り返りを重ねた。
　ヒロシは何度か書き直しをして，どうにか謝罪文を書きあげた。

お店への謝罪

後日，弁護士とヒロシの両親は，ヒロシが万引きをした店を訪ねた。

ヒロシの父母「このたびは，本当にご迷惑をおかけして，申し訳ありませんでした」
店　　　長「今回のことは，ただのTシャツの万引きだと思わないでほしいのです。
　　　　　　私も何度も警察に呼ばれて事情聴取を受けて，そのたびに店を閉めなければいけませんでした。
　　　　　　店を休んだら売上げも減ります。
　　　　　　なにも得することはありません」

店長はうんざりしたような表情で，言葉を続けた。

店　　　長「今回息子さんは，財布を落としたから捕まりましたが，もし財布を落としていなかったら，毎日，なにごともなかったような顔をして過ごしていたかと思います」
弁　護　士「おっしゃるとおりで言葉もありません。
　　　　　　いま，ヒロシ君は，少年鑑別所で今回のことを振り返って，とても反省しています。私たちも彼に対する働きかけを続けていくつもりです。
　　　　　　じつは今日，彼から謝罪文を預かってきているのですが，読んでいただけませんでしょうか」

店長は，ヒロシが書いた謝罪文をその場で読んだ。

店　　　長「彼なりに反省しているということですね。
　　　　　　『もう二度と万引きはしない』と約束してくれるなら，私も彼を許そうと思います」

ヒロシの父母は，「本当に申し訳ありませんでした。私たちも息子を監督できていませんでした」と言って，何度も頭を下げた。
そのうえでお詫びの気持ちとして，Tシャツの代金とお詫びのお金を店長に渡した。

親子関係の再構築へ　〜振り返りと気づき②

店長に謝罪した次の日，弁護士はヒロシと面会し，店長の言葉を伝えた。

ヒロシ　「店長さん，すごく怒っていたんですね。本当に申し訳ありませんでした」
弁護士　「ご両親も，ヒロシ君の監督ができていなかったと店長に謝罪して，Ｔシャツの代金を支払って，お詫びのお金も渡してくださったよ」
ヒロシ　「父も母も謝ってくれたんですか？
　　　　　Ｔシャツを盗んだのは僕なのに，親にまで頭を下げさせてしまったなんて…」
弁護士　「ご両親も，ヒロシ君のことが大切なんだよ。
　　　　　ヒロシ君の万引きを，自分のことのように受け止めて，申し訳なく思っているんだよ」

ヒロシは黙ってうつむき，「僕はなにも考えていなかったなぁ」と，つぶやいた。
弁護士は，そんなヒロシの変化を見逃さなかった。

弁護士　「ご両親にも手紙を書いて，いまの自分の素直な気持ちを伝えてはどうかな」
ヒロシ　「そうしてみます。
　　　　　面と向かってはなかなか言えないことも，手紙なら伝えられそうです」

後日，弁護士は，ヒロシの自宅を訪問した。

ヒロシの母　「先生，ヒロシから長い手紙が届きました。
　　　　　　　あの子があんな長い文章を書いてくれるなんて，びっくりしました」
弁　護　士　「そうでしたか。
　　　　　　　ヒロシ君の手紙には，どんなことが書いてありましたか？」
ヒロシの母　「『僕が万引きしたことで謝りに行ってくれてありがとう。そしてごめんなさい』って」
ヒロシの父　「ヒロシは手紙の中で，なぜ万引きするようになったのか，私たちの目の届かないところでどんな思いをしていたのか，書いてくれていました。
　　　　　　　『学校から帰っても，家の中には誰もいないし，一人でご飯を食べるのは寂しかった。そのうち毎日家に帰るのが遅くなってきて，そのころから友だちと万引きをするようになった』とか」

弁　護　士「それを読んで，どう思われましたか」
ヒロシの父「私たちは，日々ヒロシを見ているようで，じつは彼のことをなにもわかって
　　　　　　いなかったのだと思いました。そういえばここしばらく，ヒロシと話をする
　　　　　　こともなくなっていました」
ヒロシの母「あの子，本当は寂しかったんですね。
　　　　　　私たち，あの子に申し訳ないことをしていました」

　ヒロシの両親もまた，ヒロシからの手紙を読んで，ヒロシとのかかわり方について気づく
ものがあったようだ。

弁　護　士「ヒロシ君は，高校のことや，卒業後の進路のことも相談したいと言っていま
　　　　　　したよ」
ヒロシの父「手紙にもそう書いてありました。
　　　　　　ヒロシの話をよく聞いて，相談に乗ってやりたいと思います」
ヒロシの母「これからは，私たちのどちらかだけでも早く家に帰って，あの子といっしょ
　　　　　　にご飯を食べようと思います」

学校生活への復帰

　弁護士はさらに，ヒロシが学校に戻れるのかどうかについて確認した。

弁　護　士「ところで，今回のことで高校の先生方がどのように対応されているか，ご存
　　　　　　知ですか」
ヒロシの父「担任の先生や生活指導の先生が，ヒロシの面会に行ってくださっていると聞
　　　　　　いています」
弁　護　士「それはよかった。
　　　　　　先生方はヒロシ君の処分について，なにか言っておられましたか」
ヒロシの母「担任の先生の話によると，学校もなんとか続けられそうです」
弁　護　士「それはよかった。とりあえず，これでひと安心ですね」
ヒロシの父「先生からは，息子の学校での様子や友人関係のことも教えてもらいました」
ヒロシの母「ヒロシはこれまで，とくに学校での問題行動はなかったようで，クラスの仲
　　　　　　のいい友人たちが，ずっと休んでいるヒロシのことをすごく心配してくれて
　　　　　　いるとのことです」

弁　護　士「ヒロシ君は，学校にいる間は落ち着いて生活していたようですね」
ヒロシの父「今回の事件を通じて，先生方ともお話することが増えました。
　　　　　これからは学校とも連携していきたいと思っています」

　家庭，そして学校と，社会に戻ったあとのヒロシを取り巻く環境の整備は整いつつあった。
　この間も，ヒロシと弁護士は，引き続き面会を通じて万引きがなぜ悪いことなのか，悪いことをしてしまうときの自分の気持ち，そしてこれからのことについて話し合いを重ねた。

　弁護士は，ヒロシや両親の活動，学校がヒロシを受け入れてくれることなどを調査官にも報告し，家庭裁判所にもヒロシたちの変化が伝わるように努めた。

家庭裁判所での審判

　こうしてヒロシは，家庭裁判所での審判の日を迎えた。
　審判にはヒロシと両親のほか，高校の先生も出席した。
　審判は審判官（裁判官）が質問し，ヒロシが答えるという形で進んでいった。

審　判　官「ヒロシ君は，今回の件で，なにが一番いけなかったと思いますか？」
ヒ　ロ　シ「お店の人が，商品を売ることによって利益を上げて，それで生活しているということまで考えていませんでした。
　　　　　店長も被害者なのに警察に行ったりして時間が取られることも，考えていませんでした」
審　判　官「いま，ヒロシ君は自分がしたことについてどう思っていますか？」
ヒ　ロ　シ「被害者の方にも，父や母にも迷惑をかけてしまい，本当に悪かったと思っています。もう二度と万引きはしません。これからは，人に迷惑をかけないようにしようと思います」

審判官の質問は，両親に向けられた。

審　判　官「保護者の方は，今回のことを通じて，なにか気づいたことはありますか？」
ヒロシの父「私たちは，目の前の仕事や日々の生活に追われてしまい，息子と向き合う時間が足りなかったことに気づきました。
　　　　　　息子の寂しさにも気づいてやれていなかったことを，反省しています」
審　判　官「これからヒロシ君とどのようにかかわっていこうとお考えですか？」
ヒロシの母「これからはできるだけ早く家に帰り，息子といっしょに過ごしたいと思います。息子の話を聞く機会をできるだけ増やして，進路の相談にも乗っていくつもりです」

審判官は，さらに学校の先生にも尋ねた。

審　判　官「学校の先生にお聞きしますが，学校でのヒロシ君の様子はいかがですか？」
担　　　任「事件を起こしたころのヒロシ君は，遅刻が多くなり，生活が乱れていたようでしたが，それ以外ではとくに問題行動はありませんでした。
　　　　　　クラスのみんなも，ずっと休んでいるヒロシ君のことを心配しています」
審　判　官「学校での処分等，今後の見通しはどうなっていますか？」
担　　　任「退学や停学といった処分の予定はありません。
　　　　　　ヒロシ君が社会に戻って来ることができたら，明日からでも学校に来てもらいます。
　　　　　　まず学校でも指導をしてから，クラスに戻ってもらうつもりです」

その後，弁護士や調査官から，ヒロシや両親に対する助言などがあった。

審判官はヒロシや両親らとのやりとりや，あらかじめ提出されていた弁護士や調査官からの報告書や意見を参考にして，ヒロシの処分を言い渡した。

審判の結果は，保護観察だった。

審判後のある日

審判から数日後，弁護士の事務所にヒロシがやって来た。

ヒロシ「先生，今回は本当にありがとうございました」
弁護士「ヒロシ君，元気そうでよかった。
　　　　鑑別所から戻って，いまの気分はどんな感じ？」
ヒロシ「鑑別所での生活は不自由でしたが，規則正しい生活習慣が身につきました。
　　　　これからもこの生活を続けたいと思います」
弁護士「審判のときに約束したことは，できている？」
ヒロシ「はい。
　　　　夜に外出することもなくなりましたし，少しでも親の助けになるように，夕食の
　　　　用意や洗濯などの家事を手伝うようになりました。
　　　　このごろは勉強もしていますよ」
弁護士「それはえらいね。
　　　　久しぶりに高校に行って，どうだった？」
ヒロシ「登校した初日は少し緊張しました。
　　　　でも，クラスのみんなが話しかけてきてくれたので，正直ほっとしました。
　　　　学校を続けることができて，よかったです」

ヒロシの生活はいまのところ順調な様子である。
弁護士には，少年鑑別所での生活を経て，ヒロシが成長したように思えた。

ヒロシ「今回のことを通じて，僕も，先生みたいな弁護士になりたいと思いました。
　　　　ただ，鑑別所に入ったことがあっても弁護士にはなれるのでしょうか」
弁護士「そんなこと，心配しないでいいよ。
　　　　司法試験に合格すれば，弁護士になれるよ」
ヒロシ「ありがとうございます，それを聞いて安心しました。
　　　　これからは大学受験に向けて勉強を頑張ります」
弁護士「頑張ってね。吉報を待っているよ」
ヒロシ「はい！」

ヒロシの返事は力強かった。そしてその目は，生き生きとしていた。

▶少年事件における処分◀ (⇨ p.128～129)

はじめに

20歳未満の者は一律「少年」として取り扱われますが，そのうち18・19歳の者は「特定少年」と位置づけられ，18歳未満の者と区別して取り扱われます（2022年4月の少年法改正による）。そのため，少年事件の保護処分の内容は，18歳未満と18歳以上で異なります。

18歳未満の場合

1　終局処分

最終的な処分である終局処分としては，保護観察や，少年院への送致が挙げられます。

（1）保護観察

保護観察とは，保護観察所の指導・監督のもと，遵守事項を守りながら学校や職場に通うことによって，少年が社会内で更生するよう支援していきます。通常は保護司と定期的に面接して，仕事の様子，学校の様子を報告したり，相談をします。

（2）少年院送致

少年院送致とは，矯正教育，社会復帰支援等を行う法務省所管の施設である少年院で一定期間，教育を受けることとなる処分です。

2　中間処分

中間処分とは，終局処分の前に行われる，暫定的な処分をいい，少年に対する処分を直ちに決めることが困難な場合に，少年を適当な期間，家庭裁判所調査官の観察に付す試験観察がこれにあたります。

試験観察においては，家庭裁判所調査官が少年に対して更生のための助言や指導を与えながら，少年が自分の問題点を改善していこうとしているかといった視点で観察を続けます。この観察の結果なども踏まえて裁判官が最終的な処分を決めます。

3　その他

（1）審判不開始・不処分

上記のような処分をしなくとも調査，審判等におけるさまざまな教育的働きかけにより少年に再非行のおそれがないと認められた場合には，少年に処分をしないこととしたり（不処分），軽微な事件であって調査等における教育的な働きかけだけで十分な場合には，審判を開始せずに調査のみを行って事件を終わらせたりすること（審判不開始）もあります。

（2）検察官への送致（逆送）

逆送は，家庭裁判所が，保護処分ではなく，懲役，罰金などの刑罰を科すべきと判断した場合に，事件を検察官に送るものです。逆送された事件は，成人事件と同様に扱われ，検察官によって裁判所に起訴されたうえ，刑事裁判で有罪となれば刑罰が科されます。

18歳以上の場合

1　原則逆送事件の範囲の拡大

18歳と19歳の特定少年による犯罪については，家庭裁判所が原則として逆送しなければならないとされている事件（原則逆送対象事件）の対象が拡大しました。

具体的には，改正前の少年法では，16歳以上の少年のとき犯した故意の犯罪行為により被害者を死亡させた罪（殺人罪，傷害致死罪等）に限られていましたが，現行法では18歳以上の少年のとき犯した死刑，無期又は短期（法定刑の下限）1年以上の懲役・禁錮にあたる罪の事件が追加されることとなりました。

特定少年の場合，強盗罪や組織的詐欺罪も原則逆送となります。また，一定の場合に実名や写真等が報道される可能性があります。

08 裁判員に選ばれた!?
~刑事裁判と裁判員裁判~

裁判所から一通の手紙が届いた

リ　エ　「お父さん，なんか，裁判所から手紙が来てるよ」

リエの父　「裁判所から？
　　　　　なんだろう，裁判所から手紙が来るなんてはじめてだ。
　　　　　赤字で『大切なお知らせです。必ず，ご開封ください』って書いてある！
　　　　　もしかして訴えられたのかな。なんか怖いな…」

リ　エ　「お父さん，なんか悪いことでもしたの？」

リエの父　「いや，心あたりはないんだけどな。なになに，裁判員？」

リ　エ　「お父さん，ちょっと，見せて」

リエは，父が手にしている郵便物に目を通した。

リ　エ　「あっ！　これは，裁判員の候補者名簿に
　　　　お父さんが載ったっていう通知だよ」

リエの父　「裁判員を希望した覚えはないぞ」

リ　エ　「名簿に載るかどうかは，本人の希望に関
　　　　係ないんだよ。
　　　　最近学校で習ったけど，選挙権を持ってる18歳以上の成人であれば，キホン，
　　　　誰でも候補者として名簿に載る可能性があるんだって。
　　　　卒業までに私が裁判員になることだってあるんだから」

リエの父　「そうか，いよいよ私も裁判員か。で，いつ裁判所に行けばいいんだ？」

リ　エ　「この通知は，たんに候補者名簿に載ったことのお知らせだから，まだ，行かな
　　　　くていいと思う。裁判員が参加する事件が起きたら，事件についての通知が届
　　　　くから，そのとき，裁判所に行かなければいけないはず」

リエの父　「なるほど!!　でも，裁判員制度って名前しか知らないな。
　　　　　リエは裁判員制度の中身を知っているのか？」

リ　エ　「うん，学校で習ったから。裁判員制度は，刑事裁判*に一般市民を参加させる
　　　　ことで，裁判に対する理解と信頼を深める目的で導入されたんだよ。
　　　　お父さんも候補者ならもっと勉強しなきゃ！」

その後，リエの父には，裁判所から裁判員「候補者の呼出状」が届いた。

　　　　*刑事裁判は，人定質問に始まる冒頭手続き，証拠調べ（証人尋問など），そして，最後に論告・弁論という流れで行われる。

キーワード：司法参加／裁判員裁判／刑事裁判の原則／検察審査会制度

リエの父「いやー，今日もビールがうまい！
　　　　おっと，ついに，裁判所に行かなくちゃいけないのか。
　　　　リエ，これからどういうことになるかわかるか？」
リ　エ「お父さん，酔っぱらっているでしょ。
　　　　ひょっとしたらお父さんは，本当に裁判員になって，裁判の審理に参加することになるかもね。検察官や弁護人から提出された証拠を見て，ほかの裁判員や裁判官と話し合って，被告人が犯人であるかどうかとか，刑の重さをどの程度にするかとかを決めるんだよ。
　　　　たしか，『裁判員は，事実の認定，法令の適用，刑の量定について評議をする』って習ったなぁ。あと『裁判員は，公平誠実に』職務を行わなくちゃいけないし，評議の秘密は漏らしてはいけないって教わった」
リエの父「なるほど，なかなか難しい話になってきたな。
　　　　やっぱり自分でも勉強しないといけないな。
　　　　今日のところは，ビールをひかえよう」

　呼出状が届いた週末，リエの父は，インターネットで検索したり，図書館へ行って本を読んだりして，刑事裁判や裁判員制度のことをいろいろと調べた。こうしてリエの言っていたことを理解することができたリエの父は，意気揚々と帰宅した。

▶裁判員制度とは？◀

　みなさんもドラマなどで見たことがあるかもしれませんが，裁判員制度は2009年5月21日から開始されています。また，成年年齢の引き下げにより，**2023年1月1日からは，裁判員に選ばれる年齢が18歳以上に変更**されます。

　裁判員制度における刑事裁判は，原則として，国民から選ばれた6人の裁判員と3人の裁判官が合議体を形成し，死刑や無期懲役等が定められている一定の刑事事件（殺人罪・強盗致傷罪・現住建造物放火罪や覚せい剤の密輸入罪など）について審理を行い，意見を出し合って議論し，最後に判決を下します。

　従来の刑事裁判は，検察官・弁護士・裁判官という法律の専門家が中心となって行われていましたが，それでは国民の理解や信頼を得られない側面もありました。裁判員制度導入には，**刑事裁判への国民参加を認めることで，裁判への理解や信頼を深めようとする目的**があります。

刑事裁判の大原則とは？

リ エ 「おかえり，お父さん」

リエの父 「ただいま，裁判員制度について勉強してきたよ。
　　　　　もうこれでばっちりだ！」

リ エ 「そうなの？
　　　　じゃあ聞くけど，裁判員って，選ばれたら辞退できるか，できないか？」

リエの父 「原則として辞退できないぞ。
　　　　　ええと…，ただし，いくつか例外があって…
　　　　　70歳以上の人とか大学生とか，重い病気の人とか妊娠中の人とか，やむを得ない理由がある場合には辞退できる，だったかな」

リ エ 「正解！　そのとおり！」

リエの父 「よし！　じゃあ，今日，勉強してきたんだけど…
　　　　　証拠裁判主義ってなにか，知ってるか？」

リ エ 「もちろん。刑事裁判では必ず，法廷に提出された証拠に基づいて事実を認定しなければいけない，っていう刑事裁判の大原則だよね。
　　　　法廷に証拠として提出されていないような，たとえば，ニュースや新聞記事に書かれていたことを理由にして，事実の認定をしてはいけないってこと」

リエの父 「そのとおり！　むむ…，リエは，なかなかくわしいじゃないか」

リ エ 「だって，授業でやったもんね〜。
　　　　じゃあ，無罪推定の原則とはなんでしょう？」

リエの父 「それも，刑事裁判の重要な大原則で…，うーん…
　　　　　裁判によって有罪が確定するまでは，被告人は罪を犯していない人として扱わなければならないっていうことだったよな。
　　　　　被告人が『犯人』のようにテレビで報道されていたとしても，有罪判決が出るまでは，無罪として扱わなければいけないんだよ。
　　　　　じゃあ，『疑わしきは被告人の利益に』とはどういう意味かわかるか？」

リ エ 「もちろん。
　　　　証拠から判断して，被告人が罪を犯したと言い切れない。
　　　　疑わしい場合は，被告人に有利なように判断して，無罪にしなければならないということだよね」

リエの父 「被告人が『犯人ではない』合理的な可能性がある場合には，無罪としなければいけないんだな。しかし…　なんでこの原則があるのかなぁ？」

リ　　　エ「裁判で与えられる罰は，たとえば懲役刑のように身体の自由を奪う重い罰だから，被告人にとってはとても大きな不利益を与えられることになるのよ。だから，被告人が犯人だと言い切れない場合には，重い罰を与えるべきではないという考えに基づいて，無罪にするんだよ。常識でしょ！」

リエの父「そうか！　リエは，ほんとにもの知りだな，立派だ！
　　　　…さて，お父さんは頑張ったごほうびとして，ビールでも飲むか！」

その後，リエの父は呼出日に裁判所へ行き，裁判官らと面接した。そしてなんと，裁判員に選ばれ，実際に裁判員裁判の裁判員として，刑事裁判に参加することとなり，リエの父は「裁判員6番」となった。

リエの父が審理することになる事件は，新聞やニュースでも報道されていた有名な殺人事件である。

いよいよ裁判員裁判がはじまった

裁 判 長「被告人前へ，名前は」
被 告 人「安井上夫です」
裁 判 官「住所は」
被 告 人「東京都一昨日市明後日288番地」

リエの父は，「あの人が今回の被告人か，人相が悪くていかにも犯人っぽいな。テレビでもこの人が犯人だっていう報道をしてたし，きっと，この人が犯人で間違いない。おっと，しかし，"証拠裁判主義，無罪推定，疑わしきは被告人の利益に"の原則を忘れちゃいけないぞ」と心の中でつぶやいた。

裁 判 官「被告人，起訴状は受け取っていますね。検察官，起訴状をどうぞ」
検 察 官「被告人（男性）は，被害者（女性・当時24歳）と交際していたものであるが，令和×年5月15日，午後9時56分ころ，昨日市明々後日町3番地5号所在のヤユヨマンション10号室の同人宅において，同人から別れ話を切り出されたことがきっかけで口論となり，同人宅キッチンに保管されていた刃渡り15センチの菜切包丁を使用し，同人の下腹部を3度突き刺すなどして下腹部刺創の傷害を与え，よって，失血死に至らしめ同人を殺害したものである。
罪名及び罰条，殺人，刑法第199条」

裁　判　官「被告人，これから，検察官がいま読みあげた起訴事実について，審理を行います。あなたには黙秘権というものがあって，言いたくないことは言わなくてもよいです。言わなかったからといって不利益な取り扱いはされません。
そして，逆に，言いたいことがあれば，もちろん，言うことができます。
ただし，この法廷で発言した内容は，あなたにとって有利不利を問わず，すべて証拠となりますから，その点は，注意して発言してください。
では，黙秘権があるのを前提にお聞きしますが，いま，検察官の読みあげた起訴事実に間違っているところはありますか」
被　告　人「はい，起訴状には間違いがあります。
私は，被害者を殺していません。
私は，犯人ではありません」
裁　判　官「弁護人は」
弁　護　人「はい，弁護人も同意見です。
被告人は，本件の犯人ではありません。
被告人は，犯行時刻当時，被害者宅にはおらず，自宅にいました」

　リエの父は「被告人は，犯人であることを認めないのか。ということは，検察官が提出する証拠から，被告人が犯人といえるかどうかが問題になるな。えん罪を生み出さないためにも，慎重に判断しなければいけないな」と思った。

　その後，淡々と審理は進んでいった。

　検察官は，以下の事実から，被告人が犯人だと主張している。

1	犯行に使用されたと思われる包丁に被告人の指紋がついていたこと
2	犯行当日の被害者のSNSには，犯行当日夜9時ごろから，被告人と会う予定があることや，最近被告人との別れを考えていることが書かれていること
3	本件の第1発見者及び通報者である証人（被害者の知人）は，死亡推定時刻ころに被告人が被害者宅から飛び出してくるのを目撃し，その後，被害者宅に入ると被害者が殺されていたと証言していること

一方，被告人は，以下の事実を主張して，自分は犯人ではないと主張している。

1　被害者とは結婚を前提に交際していたため，被害者宅には何度も行ったことがあり，いっしょに料理を作る際に，凶器となった包丁には何度も触ったことがあること
2　死亡推定時刻より少し前に，被害者宅にて被害者から別れ話を切り出されたことにより口論となって，被害者宅を飛び出したことは間違いないが，被害者にはなんらの危害を加えていないこと
3　被害者のSNSには，最近ストーカー被害にあっていて身の危険を感じていることも書かれており，そのストーカーが真犯人である可能性が高いこと

その後，裁判はいったん休廷となり，リエの父は，控室で裁判官やほかの裁判員といっしょに休憩していた。

リエの父は，被告人が犯人だと思っていたけれど，被告人の言い分を聞いて，ストーカーが被害者を殺した真犯人である可能性も否定できないと思いはじめた。証拠からすると，第1発見者である証人がストーカーである可能性もある。被告人や証人に対して質問してみたいと思った。

リエの父「裁判長，私から被告人や証人に質問することはできますでしょうか」
裁　判　長「はい，もちろん可能ですよ。
　　　　　もし，面と向かって質問することに心理的抵抗があるのであれば，事前に私に質問事項をお伝えください。私から被告人や証人に質問します」
リエの父「わかりました。でも，私は大丈夫です。
　　　　　直接聞いてみます」

証人尋問がはじまった

裁判が再開され，目撃者の証人尋問が開始された。
（証人尋問が続く…）

検　察　官「まとめると，あなたは，被告人が被害者宅から飛び出してくるのを目撃し，不審に思って被害者宅を訪れたところ，被害者が殺害されているのを発見したということですね。間違いありませんか」
証　　　人「はい，間違いありません。
　　　　　被害者宅から出てきた人物は，そこにいる被告人でした」
検　察　官「終わります」

裁判長「では，次に弁護人，お願いします」
弁護人「あなたは，被害者と交際したことがありましたよね」
証　人「はい」
弁護人「あなたと被害者の交際が終わったのは，事件の約半年前で，被害者から別れを切り出されたということでいいですか」
証　人「はい」
弁護人「あなたは，被害者と別れた約1か月後，被害者にメールを送っていますね。どういう内容のメールを送ったか覚えていますか」
証　人「被害者のことを一生許さない，という内容のメールです」
弁護人「あなたは，そもそも，なぜ，事件当日に被害者宅の近くにいたんですか？」
証　人「私の家が，被害者宅から徒歩5分くらいの場所にあるのです。いつもは，違う道を通って帰宅するのですが，その日はたまたま，被害者宅の前を通る道を歩いて帰宅しました」
弁護人「被害者宅の前を通るルートは，帰宅するのには遠回りになると思いますが…いつもと違う道を通ったことに理由はありますか」
証　人「とくにありません。その日はふと，被害者のことを思い出して感傷的（かんしょうてき）な気分になり，懐（なつ）かしくなって，その道を通って帰宅したのです」

（弁護人からの証人尋問が続く…）

弁護人「以上です」
裁判長「続いて裁判員の方で，証人に尋問を行いたい方はいますか」
リエの父「はい，質問があります」（"ここだ"と思い，思いきって声をあげた）
裁判長「では，裁判員6番さんどうぞ」
リエの父「あなたは，被害者と交際していたけれど被害者から別れを切り出されたということですね。
　　　　　被害者は，どういう理由で別れたいと言ったのですか」
証　人「…新しく好きな人ができた，という理由でした」
リエの父「あなたは，それを聞いてどう思いましたか」
証　人「とくになにも思いませんでした。
　　　　私も被害者に対する愛情が薄（うす）れていたので，すぐに別れることになりました」

リエの父は「本当にそう思ったのかな，メールの内容と矛盾（むじゅん）するのでは？」と思った。
このようにして，証人尋問は終了した。

続けて被告人への質問が行われた

次に，被告人質問が行われた。
（被告人質問が続く…）

弁 護 人 「いまの話をまとめると，あなたは，本件事件当日の午後9時過ぎから被害者と会い，被害者から別れ話を切り出され口論となった。
　　　　　そして，あなたは被害者から『出て行って！』と言われたことから，被害者宅を出て，自宅に戻った，ということでいいですか」

被 告 人 「はい，そうです」

弁 護 人 「ところで，あなたが被害者と交際していた間に，被害者から聞いた話で印象に残っているものはありますか」

被 告 人 「はい，あります。
　　　　　事件の1か月前ころから，被害者はストーカー被害に悩んでおり，夜道を歩いているときに誰かに襲われかけたとか，ストーカーが誰かはわからないが元彼だと思う，といったことを何度か話していました」

弁 護 人 「以上です」

裁 判 長 「では，検察官お願いします」

検 察 官 「被害者から，別れ話を切り出されたということですが，被害者が別れたいと思った理由はなんだと聞いていますか」

被 告 人 「私とのつき合いにはもう飽きた，ということでした」

検 察 官 「それを聞いてあなたはどう思いましたか」

被 告 人 「そのときの気持ちを素直に表現すれば，被害者のことを『なんて酷い人間なんだ』と思いました。怒りがこみ上げたことは事実です」

検 察 官 「ところで，あなたは普段，料理はしますか？
　　　　　自宅とかで…」

被 告 人 「いや，一人暮らしをしていますが，仕事が忙しいのでほとんど外食です」

検 察 官 「被害者宅に落ちていた凶器と思われる包丁には，何度も触ったことがあるということですが，事件の前にはいつ触りましたか」

被 告 人 「はっきりとは覚えていません。たぶん1週間前ぐらいだったと思います」

検 察 官 「以上です」

裁 判 長 「では，裁判員の方の中で質問がある人はいますか」

リエの父 「はい，質問があります」（"いましかない"と思い，声をあげた）

裁 判 長「では，裁判員６番さん，質問をどうぞ」
リエの父「あなたは，被害者との交際についてどう考えていましたか」
被 告 人「私は被害者のことを愛してました。
　　　　　結婚についても真剣に考えていました」
リエの父「ケンカが多かったということですが，いままで被害者に対して暴力をふるった
　　　　　ことはありますか」
被 告 人「一度もありません。
　　　　　事件当日に，別れ話を切り出されて，怒りがこみ上げたことは事実ですが，被
　　　　　害者を傷つけるようなことは一切していません。
　　　　　誓(ちか)います」
（以下，被告人質問が続く）

このようにして，被告人質問も終わった。
さらに，検察官からの論告求刑，弁護人からの意見が述べられた。
最後に，被告人が自らの意見を述べ，審理は終了した。
審理終了後，裁判員と裁判官らは評議室で評議を行うことになっている。

さて，評議の結果はいかに…

裁 判 長「本件の争点は，被告人が犯人かどうかです。
　　　　　裁判員のみなさんはどうお考えでしょうか。
　　　　　評議の秘密がありますので，どの裁判員さんが，どのような意見を出したか
　　　　　の秘密は守られます。忌憚(きたん)ない意見をお聞きしたいです」
裁判員３番「私は，被告人が犯人であると思います。
　　　　　被告人は，被害者から別れ話を切り出されたことに怒り，一時的な感情から，
　　　　　被害者を殺害するにいたったに違いありません」
裁 判 長「なるほど。では，６番さん（リエの父）はどう思いますか」
リエの父「私としては，被告人が犯人であると判断するには，合理的な疑いが残ってい
　　　　　ると思いますので，無罪とすべきと考えます。
　　　　　包丁の指紋に関しては，被告人は普段，自炊をしないとのことですが，普段
　　　　　は自炊しない人でも，交際相手とはいっしょに料理をするということはあり
　　　　　得るように思います。なので，凶器と思われる包丁に指紋がついていたこと
　　　　　からは，被告人を犯人だと判断できないように思うのです。

また，目撃者である証人の証言がどうも信用できません。というのも，弁護人が最終弁論で主張していたように，証人は，被害者と半年前に交際が終了したことで，被害者に『一生許さない』という内容のメールを送信しており，被害者に対して恨みをいだいていました。これは言いすぎかもしれませんが，被害者がSNSに書き込んでいたストーカーは，証人である可能性があるのではないでしょうか。そもそも，証人が，たまたまその日は被害者宅の前を通る道を歩いていた理由が不自然な気がします。感傷的になったとはいえ，遠回りしてわざわざ元交際相手の家の前を通るでしょうか。証言の信用性には合理的な疑いがあると思います」

　評議室では，活発な議論が行われた。しかし，全員の意見が一致することはなかった。そこで，最終的には多数決で結論を出すことになった。評議において全員一致の意見が出ない場合には，多数決（正確には，裁判官と裁判員の双方の意見を含む合議体の員数の過半数の意見）によって結論を決めることになるのである。

　そして，判決期日を迎えた。
　裁　判　長「被告人に判決を言い渡します。被告人…」

▶検察審査会とは？◀

　民事訴訟では被害者が裁判所に訴え出ることで裁判がはじまります。他方，刑事訴訟では，検察官が起訴することで裁判がはじまります。検察官は，軽い犯罪の場合，容疑者が罪を認め，とても反省している場合，証拠が不十分で有罪に持ち込めそうにない場合などには，起訴を待ってあげたり（起訴猶予），起訴しなかったり（不起訴）することもできます。このように**起訴するかしないかの決定権を検察官だけが持っていることを「公訴権の独占」といいます**（刑事訴訟法248条 ⇨ p.138）。

　では，検察官の判断が間違っていた場合にはどうなるのでしょう。そのために準備されているのが検察審査会という制度です。「なぜ裁判にかけないんだ？」と被害者が疑問に思うとき，**検察官の判断が正しかったのかどうかを審査してくれる第三者機関**です。この検察審査会は，衆議院議員の選挙権を持つ者から「くじ」で選定された11人の検察審査員で構成されます。裁判員と同様，2023年2月1日からは，検察審査員に選ばれる年齢が18歳以上に変更されます。

　検察審査会が「起訴するべきだった（起訴相当）」あるいは「不起訴はよくなかった（不起訴不当）」と判断した場合，検察官は起訴するか否かを再検討しなければなりません。「起訴相当」の議決がなされたにもかかわらず，検察官が再度「不起訴」と決めた場合，検察審査会は再審査をしなければなりません。そこで，もう一度「起訴相当」の議決がなされると，検察官の役割を務める弁護士が選ばれ，必ず容疑者を起訴しなければなりません（検察審査会法1条，2条，4条，41条，41条の2，41条の9）。

09 シンボルの木は伐採しないといけない？
～政治参加（主権者教育）～

まずは情報収集

　マモルとヒロシはA市で生まれ育ち，同市にあるB高校に通っている2年生である。
　A市の中心地にあるC駅前には，道沿いに16本のヤシの木が植えられており，高さが20メートル以上にもなる。これらのヤシの木は約50年前のC駅改築(かいちく)に合わせて，A市が駅前整備(せいび)の一環で植えたものである。長い時間の中で，ヤシの木はA市のシンボルというべき存在になっており，多くの市民から親しまれている。
　しかし，このヤシの木に危機(せま)が迫っているようだ。

　学校からの帰り道，マモルとヒロシはいつものように他愛のない話をしていたが，不意にC駅前のヤシの木の話になった。

マモル「そういえば，知ってる？」
ヒロシ「なにを？」
マモル「駅前のヤシの木，16本全部切り倒されるらしいよ」
ヒロシ「え，なんで!?」
マモル「聞いた話だけど…
　　　　ヤシの木自体がだいぶ古くて，寿命が近づいてるからだって」
ヒロシ「どこで聞いたの？」
マモル「うちの母さんが友だちとしゃべってた。
　　　　その友だちの知り合いが市役所で働いてるみたいで，市が伐採(ばっさい)を決めたらしい」
ヒロシ「そうなんだ。
　　　　まぁ，そんなものなのかな」
マモル「でも，なんか勝手に決められてる感じがするよね」
ヒロシ「まぁね。あのヤシの木はオレらが生まれ育ったA市のシンボルだもんね。
　　　　見た感じは大丈夫そうだけど，切り倒さないとダメなのかな？」
マモル「そうだよね。
　　　　本当にヤシの木を伐採しないといけない状況なのかな？」
ヒロシ「そう思うよね。
　　　　ちょっと調べてみようか」

キーワード：政治参加／選挙／請願／デモ

▶情報収集◀

●テーマ選択

イギリスの政治学者ブライスは、「地方自治は民主主義の最良の学校である」と述べています。

「来年のだんじり祭りはいつ行うのが適切か？」「ゴミの分別を行わない人にどのように注意すればよいか？」といった身近な問題を議論したり、それらについて意見の一致を試みることが、民主的な市民としての態度を養うことにつながるためです。まずは、身近な事柄を自らの問題としてとらえてみましょう。

問題を発見するためには、情報を批判的にとらえる必要があります。**自身が理想と考える状況と現実とのギャップに着目し、問題の原因やその解決策を考える**ようにしましょう。

●情報収集するにあたって

必要な情報は、**新聞・図書館・インターネット**などを利用して集めることができます。

また、**市役所職員や地方議会議員などへのインタビュー**を行えば、より実情に根差した情報を得ることができます。

政治・経済・文化・歴史など、多面的・多角的に情報を得るように心がけることが大切です。

●用意する資料

・各種統計資料、地図帳など…図書館で閲覧したり、インターネットで収集したりすることができます。
・行政発行の広報誌…事前に連絡することによって、市区町村役場などから提供してもらえる可能性があります。
・議会の情報誌…あらかじめ議会事務局に連絡することによって、「議会だより」等を提供してもらえる可能性があります。
・議会議事録…インターネット上に公開されているものもあります。

●インタビューの方法

・相手の時間をムダにしないためにも、**質問内容は事前に伝えておくべき**です。
・相手の了解を得たうえで**音声を録音しておく**と、あとで情報をまとめるときに便利です。
・質問項目の量などによっては、事前（または後日）のアンケート用紙への記入のお願いも検討する必要があります。
・貴重な時間をインタビューのために使ってくれた相手には、インタビュー後にしっかりとお礼を言うようにしましょう。

●情報の整理・まとめ方

収集した情報はバラバラで断片的なものであることが多いため、それらの**情報をグルーピングしてラベリングしたり、時系列や因果関係で並べる**、といった作業を行うとよいです。

・KJ法…調査して得られた情報などをカードに書き出し、類似の内容のカード同士にグループ分けしてタイトルをつけ、グループ間の関係を可視化する方法。
・ロジックツリー…問題をツリー状に分解して、原因と結果の関係などを可視化する方法。

意見を出し合おう！

マモルとヒロシは収集した情報を共有し，話し合っている。

ヒロシ　「市役所で聞いてきた話だと，駅前のヤシの木は何度かに分けて植えられたんだって。一番古いものは60年前に植えられたから，樹木として寿命が近づいてるってことだった」

マモル　「寿命に達してしまって，台風とか強風で幹(みき)が折れたり，葉っぱが落ちたりすると危(あぶ)ないってことか。そう言われるとしかたがないように思えるね」

ヒロシ　「でも，インターネットで調べてみたら，駅前の木と同じ種類のヤシの木の寿命は60年から100年って書いてあったんだ。駅前のヤシの木もまだ大丈夫なんじゃないかな」

マモル　「そうかぁ。でも，寿命が近づいているってことは事実だし，自然のものだから絶対に60年経(た)つまで大丈夫ってことも言えないんじゃない？」

ヒロシ　「それはそうだけど…」

マモル　「でしょ？
　　　　安全性を考えて伐採を決めたんだったら，しかたがないんじゃないかな」

▶議論してみよう◀

●議論の目的

　議論のテーマは，国や地方自治体のみならず，学校やクラス等の大小さまざまな「社会」で意見が分かれている問題を取り扱うことが望ましく，それらは唯一の答えがあるものではありません。

　議論の目的は，**理性的な議論を通じて，より多くのさまざまな意見が反映された結論を導き出すこと**にあります。あらかじめ決まった答えを探し出すことではありませんので，議論に参加する人はこの前提を認識しておく必要があります。

●議論の方法

　議論を行う際には，①賛成派・反対派等の立場を固定し，その立場から意見を述べる方法や，②立場を固定せず，自身の考えに沿った意見を述べる方法（議論途中での立場の変更が自由）があります。

　いずれの議論の方法においても，**自分の意見を述べ，相手の意見も丁寧に聞くことが重要**です。

　自身と異なる立場の人の意見をよく聞き，それが納得できる意見であるか，反論できる点がないか等を考えていきます。

　そして，自身の意見を述べる際には，反対の立場の人を説得することを意識し，なぜ自分がそのように主張するのか理由をつけなければなりません。他者と理性的な議論を行うためには，このような理由をつけた主張を行う必要があり，そのために**事実と主張を分けることを強く意識する**ことが重要です。

ヒロシ「いや，ヤシの木だって市民の財産なんだし，簡単に伐採するって決めちゃっていいのかな」

マモル「でも，市だっていろいろ考えて決めたんじゃないの？」

ヒロシ「そもそも，強風で幹が折れたり，葉っぱが落ちたりするってことだけど，具体的な危険性がある状況なのかな」

マモル「うーん，すべてが60年前に植えられたものじゃないみたいだし，木によってはまだまだ健康なものもあるかもしれないね」

ヒロシ「そうだよ。ヤシの木が折れたりすると危険だってことだったら，それぞれの木の状況を見てから考えてもいいんじゃない？」

マモル「なるほど。年数だけで考えるんじゃなくて，それぞれの木の状況に応じて対応を考えるべき，ってことだね」

ヒロシ「それに，駅前のヤシの木はA市のシンボルになってて，A市の市章もヤシの木がモチーフなんだよ。A市をアピールする意味でも，伐採しないほうがいいんじゃないかな」

マモル「たしかに，そういう面もあるね」

ヒロシ「そう。なによりも，駅前のヤシの木がなくなったら寂しくない？」

マモル「それは… 寂しいね」

いざ行動！

マモルとヒロシは，ヤシの木の一斉伐採に反対することを決め，一斉伐採を止めるためにどのような行動をとることができるか考えることにした。

ヒロシ「ヤシの木を全部伐採するっていう判断を変えてもらうには，どんな方法があるかな」

マモル「そもそも，オレらだけでなにかできるかな」

ヒロシ「そうだね。まずは，多くの人にヤシの木のことを知ってもらうことからはじめようか？」

マモル「それなら，やっぱりSNSかな」

ヒロシ「たしかに，たくさんの人がSNSでヤシの木の話題を出してくれたら，A市も方針を変えるかもしれないね」

マモル「じゃあ，"#ヤシの木伐採反対"っていうハッシュタグをつけて，SNSにヤシの木の写真を投稿してみるよ」

ヒロシ「じゃあ，オレは"拡散希望"をつけてシェアするよ」

マモルは，写真や動画の投稿をメインとしたSNSに「＃Ａ市Ｃ駅前ヤシの木」「＃ヤシの木伐採反対」というハッシュタグをつけて，ヤシの木の写真を投稿した。
　ヒロシは，このマモルの投稿に「いいね」をつけた。
　マモルがSNSに投稿してから数日後，「いいね」の数は500を超えたが，Ａ市が伐採の方針を変更することもなければ，ヤシの木の伐採反対に賛同して行動を起こす人も現れなかった。

マモル「全然話題にならないね」
ヒロシ「そうだね。結構多くの人が"いいね"をつけてくれたけど，それだけだね」
マモル「でも，あれだけの人が"いいね"をつけてくれてるんだから，みんなヤシの木を残したほうがいいと思っているとは思うんだけど」
ヒロシ「やっぱり，もっと積極的に動いていかないとダメなのかな」
マモル「そうすると，ニュースとかでよくやってる"デモ"みたいなこと？」
ヒロシ「"デモ"って準備が大変そうだし…
　　　　オレたちがはじめに起こす行動として，"デモ"ってハードル高くない？」
マモル「たしかに，そうだね。そういえば，Ａ市議会で話を聞いたときに"なんとか"っていう，市民の意見を市議会に届ける制度があるって言ってたよ」
ヒロシ「"なんとか"って，なんなの？」
マモル「こんなことになると思ってなかったから，ちゃんと聞いてなかった…」
ヒロシ「そういえば，マモルの投稿に"いいね"をつけてくれた人の中に，Ａ市の市議会議員さんがいたよね」
マモル「そうだったね。その議員さんに連絡をとって，どういう方法や制度があるか，話を聞けないかな」

▶**主権者教育とは**◀

　主権者教育と聞くと，多くの人が模擬投票などを頭に思い浮かべるかと思います。
　では，そもそも「主権者」とはどのような人のことなのでしょうか。
　政府は，求められるべき主権者像として「国や社会の問題を自分の問題としてとらえ，自ら考え，自ら判断し，行動していく新しい主権者」を提唱しています（総務省の「常時啓発事業のあり方等研究会」による最終報告書）。

　このような主権者を育てる教育が「主権者教育」であり，「国や社会の問題を自分の問題としてとらえる」，「自ら考える」，「自ら判断する」及び「自ら行動する」という各要素を育む教育ということになります。
　このような定義からもわかるとおり，「主権者教育」は選挙権の有無とはなんら関係がないということに注意が必要です。

意見を政治に伝える方法とは

　マモルとヒロシは，マモルの投稿に「いいね」をつけてくれた市議会議員にSNSを通じて連絡をとり，市民の意見を市議会に届ける制度について聞いてみることにした。

ヒロシ「今日はお時間をいただき，ありがとうございます」
議　員「いえいえ」
マモル「議員の方が僕の投稿に"いいね"をつけてくれるなんて，思ってもみませんでした」
議　員「A市の市議会議員として興味のある話だったからね」
ヒロシ「僕たち，C駅前のヤシの木を残してもらいたくて，SNSに投稿したんですが，これだけじゃ状況は変わらないのかなと思って」
議　員「安全性を考えれば，C駅前のヤシの木を伐採することもしかたないのかなと考えていたんだけど，マモル君やヒロシ君のように若い人がヤシの木を大切に思い，行動しているのであれば，考え直さないといけないかなと思っていたところだよ」
マモル「ありがとうございます！」
ヒロシ「僕たちは，あのヤシの木をなんとか残したいんです。どういう方法があるでしょうか？」
議　員「まず，ヤシの木を伐採するというのは一つの政策だから，本来であれば，君たちと同じ意見を持つ人が市長や市議会議員になるよう選挙で投票を行うことになるね」
マモル「でも，選挙まで待ってたら，先にヤシの木が伐採されてしまうかもしれないですよね」
ヒロシ「選挙以外に自分たちの意見を聞いてもらったり，意見を市の方針に反映させてもらう方法はないんですか？」
議　員「そうだねぇ。市議会に請願を行うということが考えられるね」
マモル「それです！その請願というのが知りたかったんです」
ヒロシ「その請願ってなんですか？」

議　　員「請願というのは，市議会等の公（おおやけ）の機関に意見や要望，苦情（くじょう）の要請を行うことだよ」
マモル「それは僕たちでもできるんですか？」
議　　員「請願は憲法で保障された権利で，年齢制限もないから，君たちでもできるよ！」
ヒロシ「請願をするのになにか必要なものはありますか？」
議　　員「市議会議員の紹介が必要なんだけど，君たちが請願をするのであれば，私が紹介してあげよう」
マモル「ありがとうございます！」

▶主権者としての行動◀

先に説明したとおり，主権者には「国や社会の問題を自分の問題としてとらえ，自ら考え，自ら判断し，行動していく」ことが求められています。

すなわち，国や社会の問題について，自ら情報収集を行い，周囲の人たちと意見を出し合い，議論を交わし，自分自身の意見を持つだけで終わりではなく，その内容を**政治に伝える「行動」をとること**が重要です。

政治に自らの意見を伝える方法はさまざまであり，決まった方法というものはありませんが，容易なことではありません。

より良い国・社会へ変えていくために，**自らの意見を政治に伝える方法を一つでも多く知っておくこと**が大切です。

●意見を政治に伝えるさまざまな方法

自分の意見を政治に伝えるには，さまざまな方法がありますが，一般的に思い浮（う）かぶのは**選挙による投票や住民投票**でしょう。

しかし，ここに出てきたような**SNSでの拡散やデモ活動**も重要な方法の一つです。これらの方法は簡単に行うことのできる活動の一つですが，その活動が他者の権利や自由を侵害するようであれば名誉棄損罪（めいよきそん）等の犯罪行為にも該当（がいとう）するおそれがありますので，注意が必要です。

そして，あまり聞いたことがないかもしれませんが，**請願は憲法にも定められている権利であり，意見を政治に伝えるための重要な方法**です。

●請願

日本国憲法16条は「何人も，損害の救済，公務員の罷免（ひめん），法律，命令又は規則の制定，廃止又は改正その他の事項に関し，平穏に請願する権利を有し，何人も，かかる請願をしたためにいかなる差別待遇も受けない」と請願を行う権利（請願権）について規定しています（⇨p.130）。請願権は日本国籍のない者にも保障されると考えられています。

ただし，請願権は，請願する権利であり，それを受理した議会や行政機関に一定の行為を要求することまでを内容として含むものではありません。具体的な対応は，議会や行政機関の裁量（さいりょう）に委（ゆだ）ねられています。

地方自治体の議会に対して請願を行おうとする場合は，議員の紹介が必要なので注意が必要です（地方自治法124条）。

その他の具体的な請願の手続きについては，各地方自治体がそれぞれ定めているため，地方自治体のホームページ等で確認することが望ましいです。

議　　員「ただ，ヤシの木を伐採するという方針を変えるのであれば，ヤシの木を残したいという意見がA市民をはじめ，A市にかかわる多くの人たちのものであることを伝えないとダメだと思うよ」

ヒロシ「それには，どうすればいいのかな…」

マモル「やっぱりSNSじゃないの？　"いいね"の数でアピールかな」

議　　員「いまの時代はそれも効果的だね。ただ，請願とあわせて行われることが多いのは，署名を集めて提出することかな。SNSを通じて多くの人にマモル君たちの活動を知ってもらって，C駅前のヤシの木の一斉伐採に反対する署名に協力してもらうのはどうかな？」

ヒロシ「なるほど。できるだけ多くの人の署名を集めないといけないんですね。SNSに署名活動してる様子をアップしようか」

マモル「そうだね。
　　　　前回のヤシの木の写真に続けて，署名を集めてる動画をアップしようよ！」

ヒロシ「たくさんの人に僕たちの活動を知ってもらって，ヤシの木を残したいと思ってくれる人たちの署名を集めよう！」

　マモルとヒロシは，SNSでヤシの木の一斉伐採反対を呼びかけ，C駅前で署名運動を行うとともに，インターネット上でも賛同者を募るサービスを利用して署名を集めはじめた。
　また，SNSに「＃A市C駅前ヤシの木」「＃ヤシの木伐採反対」「＃署名活動しています」「＃請願するぞ！」とハッシュタグをつけて，署名活動をしている動画を投稿した。
　その数日後，A市出身でSNSのフォロワー数が5万人を超えている芸能人が，マモルの投稿に「いいね」をつけるとともに，「C駅のヤシの木は青春の思い出なんだよね。ヤシの木は残してほしいなぁ」というコメントを投稿したところ，マモルの投稿は，この芸能人の投稿とともに，多くのフォロワーによって拡散された。

【参考文献】
・日本弁護士連合会「第59回人権擁護大会シンポジウム第2分科会基調報告書」
・常時啓発事業のあり方等研究会「最終報告書」（2011年12月）
・杉浦真理『シティズンシップ教育のすすめ　―市民を育てる社会科・公民科授業論』（法律文化社・2013年）

10 家庭訪問してみたら
～児童虐待～

学校でのミズキとの面談（1回目）

マモルが高校1年生のときのクラスメイトにミズキという生徒がいた。
　授業中に寝てしまうことが多く，提出物も遅れがちなため，各教科担当の先生から繰り返し注意を受けていると聞き，担任が一度，面談をすることにした。ミズキの両親はミズキが小学生のころに離婚をしており，現在は母と弟，妹と生活している。

ミズキ「面談って，僕，なにか悪いことでもしました？」
担　任「今日，ミズキさんに聞きたいのは…
　　　　最近，授業中に寝ていることが多いって，いろんな先生から聞いてね。
　　　　しかも，提出物も遅れているらしいね。なにかあった？」
ミズキ「ああ，そのことですか。バイトをかけもちしていて疲れていたのと…
　　　　あっ，でも，提出物は少し遅れましたけど，ちゃんと出しましたよ」
担　任「バイトをしているのは聞いてたけど…　たしか駅前のラーメン屋だったよね？」
ミズキ「そうです。あと，カフェと，朝のスーパーの品出しもやっています」
担　任「三つもかけもちでバイト？　学生の本業は勉強
　　　　や部活だよ。バイトはほどほどにしないと。
　　　　なにかほしいものでもあるの？」
ミズキ「まあ，そんなところです。気をつけます。
　　　　あっ，ラーメン屋のバイトの時間なので，もう
　　　　行っていいですか？」
担　任「わかった。バイトの量を減らすんだよ」

担任はこれで少しはミズキの様子も変わるかと考えていたが，授業中の居眠り，提出物の遅れは改善されず，遅刻や欠席も増えてきた。
　そこで，家庭訪問をしようと思い，家に連絡してみることにした。

家への電話

担任がミズキの自宅へ電話してみると，電話に出たのは弟だった。

担　　任「もしもし，私はミズキさんの担任ですが」
ミズキの弟「ああ，担任の先生ですか。ミズキはいま，バイトに行っていますが」

キーワード:児童虐待／児童相談所／ヤングケアラー

担　　　任　（あれ？　今日はバイトはないって言っていたのに…）
　　　　　　「アルバイトって，駅前のラーメン屋の？」
ミズキの弟　「ううん，駅前通りの回転ずし屋」
担　　　任　「回転ずし屋でもアルバイトをしているの？」
ミズキの弟　「そうです。10時くらいまで帰ってこないと思います」
担　　　任　「そうですか。いま，お母さんは家にいるかな？」
ミズキの弟　「いますけど…　替わりますね」

——保留音——

ミズキの母　「はい，ミズキの母ですが…
　　　　　　　ミズキがなにかしましたか？」
担　　　任　「お母さまですね，こんばんは。
　　　　　　　本日ご連絡したのは，ミズキさんが
　　　　　　　なにかしたというのではなくて…」
ミズキの母　「なにかしたのかと思いました。
　　　　　　　で，なんでしょうか？」
担　　　任　「以前から，ミズキさんが授業中に寝ていることが多かったり，提出物も遅れたりすることがあったので，本人と面談をしました。
　　　　　　　そのときに，アルバイトを複数かけもちしていると聞いたので，学業とのバランスが崩れないように，アルバイトの量を調整するように言ったのです。ところが，なかなか改善されず…　いまも弟さんから回転ずし屋で働いていると聞きましたが，そこでアルバイトをしていることも初耳で…」
ミズキの母　（小声で「余計なこと言わなくていいのに」）
　　　　　　「いちいちどこでアルバイトしているか，先生に言わなきゃいけないっていうルールありましたっけ？」
担　　　任　「いいえ。うちの高校では，アルバイトは校則に反しない限りは自由にやってもらってかまわないことになっています。アルバイトはお金を稼ぐっていう経験もできますし，社会性を身につけることもできますから。
　　　　　　　ただ，学校生活に支障が出ていると言いますか…」
ミズキの母　「それで，あの子が勉強ができなくなったらあの子の責任ですので。
　　　　　　　まあ，私からも言っておきますよ。それでいいですよね？
　　　　　　　私もこれから用事がありますので，失礼します」

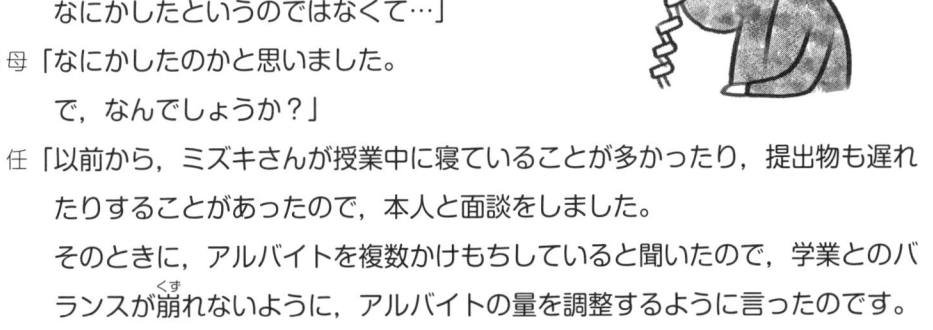

83

学校でのミズキとの面談（2回目）

ミ ズ キ 「先生，また面談ってなんですか。バイトのことですか？」
担　　任 「昨日，家に電話して，お母さんとも話をしたんだけど」
ミ ズ キ 「えっ，母と？」（動揺している）
担　　任 「そう。お母さんは，バイトのことも学校のこともあなたの考えに任せているという感じだったけれども，お母さんからなにか言われた？」
ミ ズ キ （少し黙って）「言われたかも…」
担　　任 「この前話を聞いて，なにかほしいものがあってお金を貯めているのかなと思ったんだけれど，先生に話してないこと，ない？」

ここで担任は，ミズキのシャツの襟や袖口が黒ずんでいることに気づく。さらに，いつもシャツにアイロンがかけられていなかったことも思い出した。

担　　任 「そういえば，ミズキさんには，弟と妹がいるよね？
　　　　　弟さんと電話で話したけど，あなたのことをとても頼りにしてる感じだったよ」
ミ ズ キ 「そうですか… これからは気をつけるので，今日はもう帰らせてください」
担　　任 「あっ，ちょっと待って！ もう少し話を聞きたいんだけど」
ミ ズ キ 「ちょっと急いでるので，失礼します」

ミズキの言動が気になった担任は，母から話を聞くため，ミズキの家を訪ねることにした。

家庭訪問

ピンポーン（インターホンの音）
ミズキの弟 「はーい」
担　　　任 「わたくし，ミズキさんの担任ですが…」
ミズキの弟 「ああ，昨日，電話してきた先生ですね。
　　　　　　ミズキなら，バイトに行っていて，お母さんもいないですよ」
担　　　任 「ミズキさんやお母さんは何時ごろに帰ってくるかな？」
ミズキの弟 「ちょっとわかんないけど…
　　　　　　先生，雨が降ってるから，とりあえず家に入ってください」
担　　　任 「ありがとう。おじゃまします」

玄関へ入ってみると，奥の部屋のドアが開いていた。部屋の中には，ごみ袋や，衣類が散乱（さんらん）しているようだった。そこから，妹らしき女の子がひょこっと顔を出した。

担　　任「あ，こんばんは」
ミズキの弟「ミズキの学校の先生だから挨拶（あいさつ）しな」
ミズキの妹「こんばんは」
担　　任「こんばんは。しっかり挨拶できてえらいね。
　　　　　お母さんもいないってことだけれど，いつも，ご飯はどうしてるの？」
ミズキの弟「いつもはミズキが，バイトから帰ってきてから作ってくれたり，バイト先から餃子（ぎょうざ）とか持って帰ってきてくれるからそれを食べてます」
担　　任「そうなんだ…　お母さんはお仕事が忙しいのかな？」
ミズキの弟「お母さんの仕事はくわしくはわからないけど，家に帰ってきてもお酒ばかり飲んでるし，そのお酒もミズキのバイト代で買ってるし…」
担　　任「…」
ミズキの弟「バイトから帰ってくるまでは時間があるし，僕たちは二人で留守番できるので，またミズキがいるときに来てください」
担　　任「わかりました。雨もあがったようだから，帰ります。気をつけてね」

学校でのミズキとの面談（3回目）

担任は，家庭訪問時の弟の話や家の中の様子から，母のネグレクトを疑（うたが）うようになった。そこで，担任はミズキと時間をかけて話をすることにした。

担　　任「忙しいところ，来てくれてありがとう。
　　　　　じつは，この前，あなたの家に行ったんだけれど…
　　　　　あなたはバイトで，お母さんもお仕事でいらっしゃらなくて…
　　　　　弟さんと妹さんが出てきてくれたんだけど，礼儀（れいぎ）正しい子たちだね」
ミズキ「そうだったんですか。それで，今日はなんの話でしょうか」
担　　任「以前から，あなたはバイトを複数かけもちしていて…
　　　　　それが原因で学校で寝てしまうんじゃないかって話をしてたよね？
　　　　　そのことで，聞きたいことがあるんだけれども。
　　　　　あなたがバイトをしているのは，家の生活費を稼ぐためなんじゃないの？」

85

ミズキ　「いや，少しほしいものがあって…」
　　担　任　「弟さんたちから，ご飯もあなたが作ってくれているって聞いたよ。
　　　　　　お母さんはお酒をよく飲んでいて，そのお酒もあなたがバイトをしたお金で買ってるって」
　　ミズキ　「…」
　　担　任　「ほんとは，あなた一人で悩んでいることがあるんじゃない？」

　ミズキは，目に涙を浮かべて，少しずつ話しはじめた。

　　ミズキ　「じつは，バイトも減らしたいと思っているんですが，母が『おまえがアルバイトを減らしたら，家族はどうやって食っていけばいいんだ』って怒るから辞められなくて…」
　　担　任　「そう…　一人で本当に頑張ってきたんだね。
　　　　　　つらいこと，言いにくいことがあったと思うけれど，話してくれてありがとう」

　ミズキは，母はなんらかの仕事はしているが定職にはついていないこと，夜になると化粧をして誰かに会うために外出すること，相手は男性らしいが誰に会っているのかはわからないこと，食事はすべてミズキが作っていること，母親の酒代を稼ぐためにアルバイトを辞めさせてもらえないことなど，いままで隠していたことをポツポツと話した。

今後の方針についての検討

　担任は，ミズキが母親からネグレクトを受けている可能性が高いと考え，教育支援や人権の担当者など校内の関係者による会議を開き，児童相談所に虐待通告すべきかどうかを協議することとした。会議ではさまざまな意見が出たが，このままの状態が続けば，ミズキはもちろんのこと，弟，妹たちの生活にも影響が出るのではないか，早期に相談すべきだとの意見が多数を占めた。学校の判断としては，ミズキの住んでいる地域の児童相談所に相談することとなった。
　児童相談所は，通告を受け調査を行った。その結果，ミズキやその弟，妹らの生命に危害が及ぶほどの緊急性はないとし，ただちに一時保護するとの判断はくださなかった。ただし，母に対する継続的な養育指導や，地域の関係機関等での見守りが不可欠であると考え，子どもを守るためのチーム（要保護児童対策地域協議会）を作ることとなった。

～児童虐待の事例から～
おとなになるあなたへ

●児童相談所の介入後

今回のケースの登場人物である，ミズキのような子どもは「ヤングケアラー」と呼ばれています。ヤングケアラーとは，法律上の定義があるわけではありませんが，厚生労働省によれば，「一般に，本来大人が担うと想定されている家事や家族の世話などを日常的に行っているような子ども」のことをいうとされています。ヤングケアラーの問題は，非常に多岐にわたり，子どもが家事をするようになった理由や，家族構成といった背景もさまざまであるため，解決方法も千差万別です。

今回のケースでも，児童相談所が介入したからといって，ただちに問題が解決するとは限りません。ここでは，児童相談所の介入後にありうる今後の展開を二通り紹介します。このような難しい問題を解決するためにはどのようなことを考えればよいでしょうか。みなさんも意見を出し合って考えてみてください。

介入後，改善が見られたケース

児童相談所は，学校や母と面談を行い，母に対して養育指導を行うようになった。母は当初，児童相談所や他の行政機関に対して批判的であったが，これまで子どもの養育に関して誰にも相談できなかったつらさを児童相談所職員に聞いてもらうことで落ち着きを取り戻し，しだいに児童相談所のアドバイスに従うようになった。そして母は，子どものことを考えるようになり，定職につき，お酒も控えるようになった。また，交際相手との関係も見直すようになった。ミズキはアルバイトを減らせるようになり，学校の遅刻や欠席もなくなった。

介入後，改善が見られなかったケース

学校との面談や，児童相談所からの養育指導がなされたが，母はむしろ関係機関とのかかわりを持とうとはせず，ミズキもアルバイトの疲労がたまって身体に異常をきたすようになった。児童相談所は，このまま在宅での支援を続けていても子どもの体調が悪化することから緊急性があるとして，一時保護の措置をとった。母は，ミズキの収入がなくなって以降も働こうとせず，その後は，弟妹らの生活も危ぶまれることとなったため，彼らも一時保護されることとなった。その後も児童相談所は，母に養育指導の働きかけをしていたが，母は児童相談所の連絡も無視するようになり，改善は見られなかった。そのため，子どもたちは，児童養護施設で生活をすることとなった。

11 まさか彼がDV男だったなんて…
～デートDV～

まさか彼がＤＶ男!?

　リエの友だちミリの彼氏センチは，陸上競技の選手として活躍する，地元ではちょっとした有名人。ミリは高校１年のときに同じ高校の先輩だったセンチと交際を開始し，１年過ぎたいまもつき合いが続いている。センチは現在，スポーツ推薦で進学した大学の１年生だ。デートでのラブラブな様子を撮影した写真をブログにアップしたりして，友だちからうらやましがられている。

　ところが，実際は…

　今日はセンチとのデートの日。ミリは待ち合わせ場所に，時間ぴったりに到着した。センチがほとんど同時に待ち合わせ場所に到着するのが見えたので，ミリは走り寄ってセンチに話しかけた。

ミリ「わぁ，二人とも時間ピッタリだね！」
それを聞いたセンチの機嫌は急降下。ミリをにらみつけて怒鳴った。

センチ「なに言ってんだよ。デートのときは女性が先に来て，待ってるのが常識だろ。10分前には来てろよ。オレが５分前に着いてたら，待たされるところだったんだぞ。オレをバカにしてるのか!?」
ミリ「そんなつもりじゃ…　ごめんなさい」
センチ「とりあえず"ごめんなさい"って言ってるだけだろ？心がこもってないんだよ。
　　　具体的になにをどう反省してるんだよ。こんなに簡単なこともできないのか」
ミリ「次からは待ち合わせの10分以上前に来るようにします。本当にごめんなさい」

　センチは返事をせず，結局，そのあともずっと不機嫌なままデートは終わった。デートした日はいつも，幸せそうなコメントと写真をブログにアップするのだが，この日は写真も撮れなかったし，なによりデートが楽しかったというコメントが書けるわけもない。ミリはこの日，彼氏とデートしたことをブログにアップしなかった。

キーワード：家族関係 DV ／家族／ DV 被害

　翌朝，センチから「ありえない！」というメッセージが送られてきた。センチが一体なにに対して怒っているのかミリにはわからなかったが，一生懸命考えて「私の考えがたりないせいで，忙しいセンチさんを疲れさせるようなことをしてしまってごめんなさい」というメッセージを送り続けた。最終的にセンチからは「もういいよ，次から気をつけろよ」という返事がきた。
　ミリはホッとする一方で，ひどく疲れてしまい，「こんなことが続くのなら別れたほうがいいんじゃないか」と思いはじめた。

　そこで，ミリは勇気を出して次のようなメッセージをセンチに送った。
　ミ　リ「私たち，もう別れたほうがいいのかな。
　　　　　センチさんの望むような人間になれる自信がありません」

　すると，センチから次のような返事がきた。
　センチ「努力しないで別れるっていうのは卑怯（ひきょう）だ。
　　　　　君は僕の彼女だから，君の悪いところを教えているんだ。
　　　　　努力して，ちゃんと直せよ。君のためなんだから」

　ミリは，「僕の彼女だから」「君のため」という言葉に戸惑（とまど）った。
　ミ　リ「これって愛情なの？
　　　　　次のデートでもまた怒られるに違いない。そう思うと怖（こわ）い。
　　　　　行きたくない。やっぱり別れるほうがいい。いや別れたい」

センチ突然現れる

　その日，学校からの帰り道，ミリのバッグの中からはスマホの着信音がひっきりなしに聞こえていた。ミリは，スマホを見ようとせず，むしろ着信音が鳴るたびにびくびくしている。いっしょに歩いていたリエは，ミリの様子がおかしいことに気づく。

　リ　エ「どうしたの？　なんか変なメールでも来てるの？」
　ミ　リ「彼からのメッセージだと思うんだけど，見るのが怖い」
　リ　エ「えっ，センチさんから？　怖いってどういうこと？
　　　　　いっしょに見てあげようか？」
　ミ　リ「うん，ちょっとね…　いっしょに見てくれる？　ありがとう」

通り道にある公園のベンチに座り，メッセージを開いてみた。センチは，昨日のデートでのミリの態度の，どこがどのように間違っていたのかを詳細に書いている。
　「歯を見せて笑うな，手で口元を隠せ」「パンツなんか履くから，歩くとき大股になるんだ。みっともないから，スカートを履いてもっと静かに歩け」…
　もちろん「待ち合わせ場所には，約束の10分前に着くようにする。相手に待ったことを悟らせないように」というのもある。

リ　エ「なにこれ？　センチさん，変なこと書くのね。
　　　　女性が男性より10分前に待ち合わせ場所に着いてないといけないなんて，聞いたことないよ。"女性はこうすべき"ばっかりじゃない！
　　　　これって全部，女性差別じゃない？」
ミ　リ「そうかなーって思うけど，そんなこと怖くてセンチさんに言えないよ。
　　　　言われたことを全部ちゃんとできる自信もないし…
　　　　なんて返事したらいいのかもわかんないよ」

そこに，突然センチが現れた。
ミリは顔をこわばらせ，リエの腕をつかんだ。

センチ「なんで電話に出ないんだ？」

　センチはミリのスマホをのぞき込み，二人が自分の送ったメッセージを読んでいたことに気づくと，リエに向かって怒鳴った。

センチ「おい！　そこのおせっかい女。
　　　　自分に関係ないことに口出しするなよ，バカ」

下校途中の生徒の中には，有名な卒業生センチがいることに気づき，こちらを見ている人もいる。センチが少しトーンダウンしたので，リエは一呼吸おいてセンチに言った。

リ　エ「センチさん，ミリの気持ちをちゃんと聞いてあげてください」
センチ「ミリはどうせオレの悪口ばっかり言ってるんだろ？　全部ウソだよ。
　　　　オレとつき合ってることをみんなに自慢してるくせに…
　　　　陰でこそこそ悪口言うなんてどういうつもりだ！」

　センチはリエにそう言うと，ミリに向かって冷たい口調で言った。

センチ「おい，ミリ。オレはお前に振り回されて疲れたよ。
　　　　別れてやってもいい。
　　　　けどな，忙しいオレを振り回して，ただですむと思うなよ。
　　　　別れると決まったらお前のやったことや，だらしなさを全部世間に暴露してやる
　　　　からな。それでもいいのか？」
リ　エ「ちょっと待ってください。
　　　　ミリだけが悪いって決めつけるんですか？
　　　　ミリ，なんで黙ってるの？
　　　　ちゃんと自分の気持ちを言わないとダメだよ？」
ミ　リ「ごめんなさい…
　　　　やっぱり全部，私が悪いのよね…」（泣く）
リ　エ「そうじゃなくって，自分の気持ちをはっきり言いなよ。
　　　　別れたいの，別れたくないの，どっち？」
ミ　リ「別れたくない…」
リ　エ「それでいいの？
　　　　ほかにセンチさんに言いたいことはないの？」
センチ「あるわけないだろ。こいつの言うとおり，悪いのはこいつなんだから。
　　　　いつもはぼーっとしてるくせに，写真撮るときはえらそうに"ああしろ，こうし
　　　　ろ"言いやがって。
　　　　オレがこいつに合わせてやってるのに。まったくつき合ってられない。
　　　　こっちこそ"ミリはクズだ"って全部世間にぶちまけてすっきりしたいくらいだ」
ミ　リ「ごめんなさい…」

リ エ 「センチさん，言いすぎじゃないですか！
　　　　今日はもう帰ってください」
センチ 「心配して来てやったのに，なんなんだ。
　　　　オレはこんな最低なやつらとつき合ってる暇なんかないんだ。
　　　　ミリ，オレと別れたいなら『自分はバカです』って公表しろよ！」

好き放題言って満足したのか，センチは帰って行った。

これってDVじゃない？

リ エ 「センチさんって，いつもあんな感じなの？
　　　　突然現れるからびっくりした」
ミ リ 「センチさん，部活を見るために学校に来ることもあるんだけど…
　　　　ときどき，帰り道に突然現れたりするの。
　　　　つき合いはじめたころはうれしかったんだけど，最近はなんだか…」
リ エ 「やっぱり，センチさんおかしいよ。ねえ，これってDVじゃない？
　　　　この間，学校で習ったよね。
　　　　先生が，インターネットで調べられるって言ってたよね。調べてみようよ」

　二人はインターネットで「DV」と検索してみた。すると，「パートナーや恋人からの暴力に悩んでいませんか」と書いてあるサイトがあった。そこには「DVとは英語のDomestic Violence（家庭内暴力）の略です。夫婦に限らない親密な恋愛関係（異性間には限りません。同性間も含みます）において，一方のパートナーがもう一方のパートナーに対して振るう身体的，性的，心理的暴力はすべてDVです。一人で悩まず，お近くの相談窓口に相談を」とあり，その中にチェック項目があった。

ミ リ 「殴られたり，蹴られたりしたことはないけど，『なにを言っても長時間無視』はよくある」
リ エ 「さっきのセンチさんの発言は，どう考えても"人格を否定するような暴言"だよ。
　　　　急に現れて，"交友関係を細かく監視"してたし，メールの内容はまさに"行動や服装を細かく指示する"にあてはまらない？
　　　　センチさんがやってることは，全部DVみたいだね」

ミ　リ「DVかどうかはわかんないけど，私はセンチさんが怖いし，もう限界。
　　　でも，もし彼がSNSに私のことを"クズ"って書いたりしたら…
　　　彼は有名人だし，誰も私のことなんか信じてくれないよ。怖い。
　　　ほんとに別れたい。
　　　でも，別れるのは無理かも…」

☞心あたりがあったら今すぐご相談ください！☜

☐パートナー（夫・妻・恋人）から「殴る」「蹴る」などの暴力を受けたことがある

☐パートナーから，交友関係や電話・メールを細かく監視されたことがある

☐パートナーといっしょにいるとき，なにを言っても長時間無視されて困ったことがある

☐パートナーから，「お前」「貴様」と呼ばれたり，人格を否定するような暴言をはかれたりしたことがある

☐パートナーから，行動や服装・メイクを細かくチェックされたり，指示されたりしたことがある

☐とくに待ち合わせをしていないのに，突然パートナーが勤め先や学校の前で待っていたことがしばしばある

☐パートナーに大声を出されると，怖くて自分が悪くなくても謝ってしまうことがある

☐パートナーが，自分の親や兄弟の悪口を言って，自分の親や兄弟とのつきあいを制限しようとする

☐パートナーは友だちが少ないほうだ（なんでも相談できる友だちはいない）

☐パートナーが突然怒り出したが，怒った理由がわからないことがときどきある

☐パートナーが怒るのは，自分が期待に応えられないからだと思う

リ　エ「ここに電話して相談してみたら？」
ミ　リ「いやだよ。私たち，高校生と大学生だし，結婚してるわけでもないから，
　　　　真剣に聞いてもらえるとは思えない。
　　　　別れろって言われるだけで，助けてなんかくれっこない」
リ　エ「そんなこともないと思うけどなぁ。でも，ミリがいやって言うなら…
　　　　んーと，それなら…
　　　　マモルのお姉さんが最近離婚したんだけど，相談してみる？」
ミ　リ「トモコさんね。トモコさんならよく知ってるし，話を聞いてもらいたい」

リエとミリは相談窓口に電話をする前に，まずはマモルの姉のトモコに相談することにした。

トモコのアドバイス

ミ　リ「…ということなんですけど。
　　　　私たち，別れたほうがいいでしょうか？」
トモコ「別れたほうがいいかどうかは，私が決めることじゃないよ。
　　　　だって，大事なのは，ミリさん，あなた自身が別れたいかどうかだから」
ミ　リ「別れたいです。でも，センチさんは許(ゆる)してくれないと思います」
トモコ「あのね，彼が許してくれるかどうかは重要じゃないの。
　　　　恋人同士っていうのは，お互いが愛情を持っている状態のことでしょ？
　　　　逆にいえば，どっちか片方が愛情を失って別れたいと思ったら，恋は終わる。
　　　　つまり，大事なのは，あなたの彼に対する気持ちなの。わかる？」
ミ　リ「私が別れたいなら，彼の同意がなくても別れられるんですか？
　　　　ほんとに？」
トモコ「ほんとだよ。
　　　　あなたが本気なら，お別れするのに相手の許可はいらないのよ」
ミ　リ「でも，彼は私のために注意してくれてるのに，なんだか悪いような気もして…」
トモコ「それは，あなたの思い込みっていうか，そう思い込まされてるの。
　　　　"君のために注意してる"って発言はDVの特徴(とくちょう)で，愛情からじゃなくて，相手
　　　　を思いどおりにしたいっていう支配欲からそういう言い方をするの。
　　　　だから，相手に遠慮(えんりょ)する必要はないんだよ」

ミ　リ「でも，彼のしたことはほんとに DV なんでしょうか？
　　　彼に暴力をふるわれたことはないんです。
　　　彼は私のダメなところを注意してくれてるのに，私の努力がたりなくて，
　　　彼を怒らせてるっていう気もしているんですけど」
リ　エ「ミリ，それはおかしいって。
　　　なんで，ミリだけが努力しないといけないの？
　　　ミリにも欠点はあるかもしれないけど，それってお互いさまじゃないの？」
ミ　リ「彼は，競技で結果を出さなくちゃならないから，すごく頑張ってるの。
　　　だから，それ以外の時間は休めるように支えるのが恋人の役目。
　　　私ががまんしてでも…って思うんだ」
トモコ「私もね，よく似た経験したからわかるけど…
　　　自分たちの関係が本当の恋愛じゃないって認めるのは難しいよね。
　　　やっぱりこのままつき合いを続ける？」
ミ　リ「いいえ，無理だと思います。
　　　　…別れたいです」
リ　エ「私もそのほうがいいと思うよ」
ミ　リ「でも，私が別れるって言ったら，彼は怒って嫌がらせをしてくると思います。
　　　SNS に書くって言ってたし。それも怖いんです」
トモコ「嫌がらせは，やめさせる方法があるよ」
ミ　リ「ほんとですか？　彼から嫌がらせをされずにすむなら…　別れたいです」
トモコ「うん，ほんとだよ。まずは私が彼に話をしてあげる。
　　　それでダメなら，相談窓口に行こう。
　　　でもね，その前に大事なのは，彼を納得させること
　　　じゃなくて，あなたが"別れたい，別れるんだ"っ
　　　て気持ちをはっきりさせること」
ミ　リ「はい，別れたいです，ほんとに」
トモコ「じゃあ，はじめよっか。
　　　ミリさん，彼と話をするときはいっしょに行ってあ
　　　げるから，安心してね」

🧑 トモコの思い

　ミリの話を聞いて，トモコは自分が離婚したときのことを思い出した。トモコの離婚の原因は，夫によるDVだったのだ。ところが，離婚を切り出したトモコに対し，夫はトモコに暴力をふるったことを認めず，離婚についての話し合いも拒否した。そのくせ，深夜に突然，「トモコに会いに来た」と言ってトモコの実家に現れたりした。
　そこで，トモコは離婚手続きを進めるため，裁判所からDV防止法（⇨p.145～146）による保護命令を出してもらった。

　DV防止法による保護命令の内容は，「2か月間，夫は（夫婦が暮らしていた）自宅に近寄ってはいけない（退去命令）」と「6か月間，トモコや子どもに近づいてはいけない（接近禁止命令）」というものだった。その保護命令は，たんに夫に，夫婦が暮らしていた家から退去させ，妻の実家に行くことを禁止するというだけではない。妻本人だけではなく，その子，親，兄弟姉妹に近づくことも禁止している。実家に電話をしたり，FAXを送ったりする場合は午後10時から午前6時までの時間帯は禁止，事務連絡以外の用事で手紙を出すことや，脅し文句を書いたり言ったりすることも禁止されているのである。
　このように細かく禁止事項が決められていたので，保護命令が出たあとは安心して過ごすことができた。

▶ DVと恋愛は紙一重？◀

　恋愛すると，相手に対して「いつもいっしょにいたい」とか「相手のすべてを知りたい」という気持ちになることがあります。そこまではいいのですが，「相手は自分のもの」，「二人は一体」と感じるようなら行きすぎ，DVの可能性が高いです。では，DVと恋愛の違いはどこにあるのでしょう？
　DVとは，本文でトモコさんが言っていたように，**配偶者や恋人など親密な関係にある人の間で「暴力」を使って，一方がもう一方を「支配」，すなわち相手の気持ちを無視して自分の望むとおりに行動させる関係**をいいます。「暴力」といっても叩いたりする身体的な暴力だけではありません。性的関係を無理強いする，お金を支払わない，行動を監視する，人間関係を制限するほか，言葉で心理的に相手を追い詰めたりすることも暴力です。
　もうおわかりですね？
　相手のことが好きだからといって，いつも相手が自分と同じように感じるとは限らないし，自分の思いどおりに相手が行動することを期待するのは，その人の勝手です。あなたの気持ちはあなただけのもので，相手には相手だけの気持ちがあるのです。**恋人同士でも，相手の自由や自己決定権を侵害することは許されません**。愛情は束縛とは違うのです。
　あなたの相手を好きな気持ちと同じくらい，相手の気持ちと行動の自由を大事にできるのが愛情であり，恋愛なのではないでしょうか。

トモコの場合は夫婦間にDVがあったのに対し，ミリとセンチは交際しているだけである。DV防止法が適用されるのは，夫婦または生活をともにしている交際相手だから，ミリとセンチの場合は適用外である。ミリはセンチと別れることができるだろうか？

何日か後…

ミリはトモコとリエにつき添われてセンチに会い，「別れたい」とはっきり言った。
センチはミリの予想どおり，怒り出した。

センチ 「別れるためには，まずお互い納得するまで話し合いをするのが常識でしょう。
　　　　僕は全然納得してませんよ。
　　　　そもそも交際がうまくいかなくなったのは，ミリが自分勝手だからだ。
　　　　それを証明するために，二人のSNSのやりとりをぶちまけてやる！」
トモコ 「SNSのやりとりはそれ自体が個人情報です。
　　　　相手の承諾なしに公開することは，プライバシーの侵害になり違法ですよ」

センチはしばらく黙ったあと，「別れる」とは言わず，こんなことを言い出した。

センチ 「やっぱり僕は納得できない。
　　　　ミリが，僕の承諾なしに別れるというのなら，僕も勝手にさせてもらいますよ。
　　　　SNSのやりとりを公開するのはダメというなら，ミリがしたことについての僕の考えをSNSに投稿させてもらいます」
トモコ 「それこそ犯罪ですよ，センチさん。
　　　　ミリさんの悪口を，誰でも読めるSNSに書くなんて…
　　　　名誉棄損ですよ」

センチはやっとおとなしくなった。
そして，あきらめたように，「別れてもいい」と言った。

トモコ 「ミリさん，センチさん。二人とも，別れることはSNSに書いていいけれど，別れた理由はもちろん，お互いの悪口は絶対に書かないと約束してください。それから，いままで公開していた二人の写真や動画は全部消去してください」
ミ リ 「はい，そうします」

トモコ「センチさんもいいですか？」
センチ「わかりましたよ」

センチは不機嫌な様子だったが，約束をして，しょんぼり帰って行った。

ミ　リ「トモコさん，ありがとうございます。
　　　　SNSのやりとりって，裁判で証拠になるんですね」
トモコ「そうだよ。私も，夫とのSNSのやりとりや，叩かれてケガしたときの写真とか
　　　　を残しておいて，証拠として家庭裁判所に出したから」
リ　エ「トモコさん，傷が残るほど叩かれるなんて，ひどいDVを受けていたんですね。
　　　　離婚するのは怖くなかったですか？」
トモコ「保護命令を出してもらったし，離婚のために家庭裁判所で調停を申し立てたとき
　　　　も，私が会って話をしたのは調停委員だけで，夫には会ってないから。
　　　　離婚するって決めてからは怖くなかったよ」
リ　エ「なるほど。ちゃんと準備をすれば，さらに怖い思いをしなくてすむんですね」
トモコ「それより，ミリさんたちのSNSのやりとりにはびっくりしたわ。
　　　　あんなにひどいことを言われて，よくがまんしてたね。
　　　　たとえば，『次に，デート中につまらなそうな顔をしたら，その顔写真に"私は
　　　　クズです"ってコメントをつけてアップする』とか，『名前と住所をブログで公
　　　　開されても文句は言わない』って約束させられたりとか。裁判で慰謝料を請求で
　　　　きるレベルよ」
ミ　リ「別れられたから，それだけでいいです。
　　　　彼はまだ学生だから，お金もないですし」
リ　エ「どうして誰かに相談しなかったの？　あんなに楽しそうな写真ばっかりブログに
　　　　アップしてるから，ラブラブなんだとばかり思ってた」

本当は相談したかった…　でも，できなかった…

ミ　リ「つき合い出したころは楽しかったし，最近だって優しいときもあったんだよ。
　　　　しかも，周りからは"ステキな人だね，うらやましい"って言われてたし。
　　　　自慢しちゃった分，彼がひどい人だって言いにくかったんだ。
　　　　自分でも認めたくなかったんだと思う。別れられてよかった。
　　　　いろいろ勘違いしていた私が，ほんとバカだった」

リ　エ「センチさんみたいな有名人とつき合ったら，誰だって舞い上がっちゃうよ。
　　　　でも，外から見てステキでも…　人間ってなかなかわからないってことだね」
トモコ「私も結婚しているときは，ミリさんと同じだった。でも，違うこともある。
　　　　マモルを見ていても気になることがあるの」
リ　エ「なんですか？」
トモコ「SNSの使い方がね，私たちとは違うなって思う。
　　　　いまの高校生って，SNSにどんどん写真をアップして，"こんなにハッピーで
　　　　～す！"って自慢するっていうか…
　　　　たくさんの人に見てもらって，高評価をもらって…
　　　　それをもらうために，また必死で写真を撮ってアップして…
　　　　そんなことをしてるうちに，二人の関係もおかしくなるし，よけい人に相談しに
　　　　くくなっているような…　違っていたらごめんなさい」
ミ　リ「たしかに。トモコさんの言われてるとおりだと思います。
　　　　幸せって自慢できるかどうかじゃないんですよね。
　　　　お互い思いやりや愛情を持って，本当に信頼できる人とつき合えることが大切な
　　　　んですね」

▶本当の幸福とは？　～法に見る「幸福」～◀

みなさんは「幸せってなに？」と聞かれたら，なんて答えますか？

ミリさんも気づいたように，「自慢できるかどうか」ではありませんね。お金持ちになること？　有名になること？　長生きすること？

「幸せとはなにか」という問題は，考えれば考えるほど答えがわからなくなります。

みなさんは，憲法にも「幸福」という言葉が出てくることはご存じですか？　ただ，憲法には「これが幸福だ」という定義は書いてありません。そもそも，人は，それぞれ考え方も感じ方も違います。幸福についての考え方も人それぞれ違ってくることになります。ということは**「幸福」とは，社会において，どの人も，その人らしく，生きられること**，といえるのではないでしょうか。

また，「幸せ」って，フォロワーや「いいね！」の数で計れるものなのでしょうか？

本来，**目には見えず他人と比べるものでもない「愛情」や「共感」が，「幸せ」になるためには必要**なのではないでしょうか。

他方で，愛情を維持するためには努力やがまんが必要なら，めんどうくさいから愛情なんていらない，一人でいるほうが幸せ，という考え方もあるかもしれませんが。

誰か一人だけが努力するのでも，一人だけががまんするのでもなく，誰でも，みんな，ちょっとずつ，**お互いに，お互いのためを思って努力やがまんをしたら，みんなが幸せになれる**…かも？

みなさんも，一度「幸せってなんだろう」って考えてみてください。

12 おばさんのパートナー
~ジェンダー平等~

LGBTって？

リエは友だちのミリと，最近見ている動画サイトについて話をしていた。

ミリ「ねえねえ，最近どんな動画見てるの？」
リエ「最近はメイク動画とお笑い芸人の動画をよく見てるよ」
ミリ「私もそのへんはよく見てる〜。
　　　あのさ，私，気に入ってる歌手がいるんだけど，その人ね，LGBTを公表していて，その理解を深めるための活動もしているの。
　　　私もその人の影響で，LGBTの人たちの動画を見はじめたんだ」
リエ「LGBTって？」
ミリ「同性愛者やバイセクシャル，トランスジェンダーの人たちのことだよ。
　　　最近はその人みたいに，自分たちのことを知ってもらいたいと思って，積極的に発信している人たちも多いんだよ」
リエ「そうなんだ，知らなかった」
ミリ「ほら，たとえばこの動画，見て。
　　　基本的なことを解説してくれてて，すごく勉強になるんだ」

▶LGBTとは◀

　レズビアン（Lesbian：自分を女性だと思っていて，女性を好きになる人），ゲイ（Gay：自分を男性だと思っていて，男性を好きになる人），バイセクシャル（Bisexual：女性を好きになることも男性を好きになることもある人），トランスジェンダー（Transgender：生まれたときに割りあてられた性別と自分が思う性別が異（こと）なる人）の人たちを表す言葉です。

　それぞれの頭文字をとって，LGBTと総称されています。LGBT以外にも，たとえば，自分の性が男性・女性のいずれに属するのかわからないと認識している人や，男性・女性のいずれにも性的な関心をいだかない人もいます。このように，**性のあり方に関して社会的には少数派とされている人たちのことを「性的マイノリティ」**といいます。

　電通ダイバーシティ・ラボが2020年12月に全国の20〜59歳の計6万人を対象に実施した調査によると，自身が性的マイノリティであると回答した人は8.9%，およそ11人に1人は性的マイノリティであるという結果でした。

　性的指向（Sexual Orientation：どのような性別の人を好きになるか）や性自認（Gender Identity：自分自身の性別をどのように認識しているか）は，性的マイノリティだけの問題ではありません。そこで，**性のあり方の問題はすべての人にかかわること**であることを示すため，最近では，「SOGI」（Sexual Orientation & Gender Identity）という言葉も使われるようになっています。

100

キーワード：ジェンダー平等／人権の尊重と平等／パートナーシップ制度

ユミからのカミングアウト

別の日，リエのもとに母の妹であるおばのユミからメッセージが届いた。

ユミ「リエ，久しぶり。元気？
　　　私，マンションを買って引っ越ししたの。よかったら近いうちに遊びに来てね」

ユミはずっと独身で，小さいころからリエのことをとても可愛がってくれていた。

リエ「おばさん，久しぶり～　私は元気だよ。
　　　おばさんの新居見てみたい！　来週の日曜日，遊びに行っていい？」
ユミ「うん，ぜひ遊びに来て～」

翌週の日曜日，リエはさっそくユミの新居に遊びに行った。

ユミ「いらっしゃい」
リエ「おじゃましま～す」

ユミの新居は，駅の近くにある新築マンション。窓からの見える景色もとてもすてきだ。

リエ「とってもすてきなマンションだね。おばさん一人で住むなんてもったいないよね」
ユミ「ありがとう。じつはね，もうすぐ私のパートナーも引っ越してくるの。
　　　パートナーと二人で住むんだ」
リエ「え？　おばさん，結婚するの？」
ユミ「結婚ではないんだ。…リエ，驚かないで聞いてくれる？」
リエ「なに？　どうしたの，急に？」
ユミ「じつはね，パートナーは女性なの。私は恋愛対象が女性なんだ」
リエ「えー？　そうだったの？　全然知らなかった」

たしかに，リエはこれまでユミから交際相手の話どころか，好きなタイプはどんな人なのかすら聞いたことがなかった。

101

ユミ　「いままでほとんど人に話してこなかったからね。
　　　　お姉ちゃんにも，この間はじめて言ったんだよ」
リエ　「お母さん，私になにも言わなかった」
ユミ　「"リエには私から話すから言わないで"って口止めしておいたから」
リエ　「そうだよね。おばさんの知らないところで，勝手に言われてたらいやだよね。
　　　　最近，友だちに教えてもらって，LGBTの人が発信してる動画を見たばっかりなんだ」
ユミ　「へぇ，最近はそういう動画もあるんだ」
リエ　「その動画を見て，私が知らないだけで，私の周りにもLGBTの人がいるのかもし
　　　　れないなって思ってたんだ」
ユミ　「だから，リエは私がカミングアウトしてもあまり驚いていなかったのね」
リエ　「でもいいね，好きな人といっしょに住めるって」
ユミ　「いままで別々に住んでいた人同士がいっしょに住むって，いろいろ大変らしいよ。
　　　　それに，私たちは夫婦とは違うし…」
リエ　「？」
ユミ　「ごめん，なんでもない。そうだ，ケーキあるけど食べる？」
リエ　「ありがとう。いただきま～す」

　その後リエは，ユミと最近のリエの学校生活のことや最近見たテレビの話など，他愛のない会話をして帰宅した。

▶カミングアウトとアウティング◀

　カミングアウトとは，秘密にしていたことを打ち明けることです。 最近は，性的マイノリティが自己の性のあり方について打ち明けること，という意味で使われることが多くなっています。

　カミングアウトは，ウソや隠しごとをしていたことに対する罪悪感がなくなる，相手との間により親密な信頼関係を築くことができる等のメリットがある反面，相手が戸惑ったり，どのように接していいかわからず，関係がギクシャクしてしまったり，あるいは相手が勝手にほかの人に話してしまったりというデメリットもあります。カミングアウトをする人は，そのような不安をかかえながらも，「この人なら打ち明けても大丈夫」と信頼してカミングアウトするのです。カミングアウトを受けた場合には，最後まで相手の話を聞きましょう。

　アウティングとは，カミングアウトを受けた人が，本人の了解を得ずに第三者に話してしまうことで，相手の信頼を裏切り，ひどく傷つける行為です。 自身の性のあり方という非常にセンシティブな問題を，誰に，どのように伝えるかは本人が決めることです。あなたが「周囲の人に知ってもらったほうが本人も生活しやすいだろう」と感じたとしても，本人がそう思っているとはかぎりません。「善意」でやったかどうかは関係ありません。絶対にやめましょう。

同性婚って？

夕食後，リエがリビングでのんびりしていると，母が話しかけてきた。

リエの母「今日，ユミの家に行ってきたんでしょ？」
リ エ「うん，パートナーといっしょに住むってことも聞いたよ」
リエの母「その話，リエも聞いたのね…」

母は，浮かない顔をしていた。

リエの母「いっしょに住むっていっても，同性同士だと結婚もできないし，これからどうするつもりなのかしら…」
リ エ「お母さんはおばさんが彼女さんといっしょに住むことに反対なの？」
リエの母「ユミが決めたことだから反対はしないけど…
私はずっと恋愛も結婚も異性とするものって思って生きてきたから，正直いうとよくわからなくて」

母の話を聞きながら，リエは，スマホを使って「同性カップル　結婚」と調べてみた。

リ エ「お母さん，これ見て。
同性カップル向けのパートナーシップ制度があるんだって」
リエの母「ユミの住んでる自治体でもやってるのね」
リ エ「結婚とは違うのかな？」
リエの母「結婚は男女じゃないとできないでしょう」
リ エ「なんで，男女じゃないと結婚できないの？」
リエの母「同性同士だと子どもがつくれないからじゃないかなぁ」
リ エ「でも，別に男女でも子どもがいない夫婦だっているでしょう？」
リエの母「言われてみればたしかにそうね」

リエがさらにスマホで検索してみると，結婚とパートナーシップ制度の違いがくわしく書いてあるサイトにたどりついた。

リ　　エ「ここに結婚との違いがくわしく書いてあるよ」
リエの母「もしユミが亡くなったら，パートナーの方はマンションから出て行かないといけなくなるかもしれないのね」
リ　　エ「そういえば，この前お父さんが手術したとき，お母さんもいっしょに病院に行ってたよね？」

じつは，リエの父は先月手術をするため，2週間ほど入院していた。

リエの母「うん，どんな手術をして，退院するまでどれくらいの期間かかるとか，くわしく説明してもらったよ」
リ　　エ「万が一，おばさんが手術することになっても，彼女さんはそういう説明を受けられないかもしれないんだね」
リエの母「あのとき，もしお医者さんから話が聞けなかったとしたら，とっても不安だったと思う」

▶パートナーシップ制度とは◀

　現在の日本の婚姻制度は，男性と女性（いずれも戸籍上の性別）との間で行うことを想定しており，ゲイカップルやレズビアンカップル，性別変更を行っていないトランス男性（戸籍上は女性）と女性，あるいは男性と性別変更を行っていないトランス女性（戸籍上は男性）は婚姻届を提出することができません。そのため，これまでは，当事者の双方または一方が性的マイノリティのカップルは，自分たちの関係を公に証明できる方法がありませんでした。
　このようなカップルに向けて，二人がパート**ナーシップ関係にあることを証明する制度**を導入する自治体が増えています。この制度をパートナーシップ制度といいます。2015年に東京都渋谷区と世田谷区で導入されたのをきっかけに，パートナーシップ制度を導入する自治体は年々増加しています。
　制度の利用を希望するカップルは，自治体でパートナーシップ宣誓をします。これを受けて，自治体はパートナーシップ宣誓をしたカップルであることを証明する書類を発行します。カップルは，それを提示することでパートナーシップ関係にあることを証明することができるようになります。また，居住する自治体の公営住宅にカップルで入居することができたり，自治体が運営する病院で配偶者と同様の扱いを受けられるようになったりするなど，**自治体の制度を利用することができます**（受けられるサービスの内容は自治体によって異なります）。

リ　　エ「お互いのことが好きで大切で，ずっといっしょにいたい，家族になりたいって思う気持ちに性別は関係ないはずなのに…
　　　　こんなにいろんな違いがあると，なんだか『あなたたちのことは認められません』って言われているみたいで悲しい」

リエの母「そうねぇ」

リ　　エ「みんなが一人ひとり，尊重される世の中になればいいなぁ」

リエの母「…あなたのいまの言葉にハッとしたわ。
　　　　気づかせてくれてありがとう」

リ　　エ「えっ？　私はただ思ったことを言っただけだよ」

リエの母「…いつか，ユミのパートナーの方にも会ってみたいな」

リエは，母の気持ちが少し変わったことをうれしく思った。
今度，ユミの家に遊びに行くときは，母にも声をかけてみようと思った。

▶結婚とパートナーシップ制度はどう違うの？◀

　日本の法律では，婚姻届を提出して夫婦になると，次のような法律上の権利義務が発生します（以下は一例です）。

- **夫婦同氏**（夫婦が戸籍上，同じ姓を名乗ること。民法750条⇨p.132）
- **扶助協力義務**（夫婦は協力し扶け合わなければならないという義務。民法752条⇨p.132）
- **同居義務**（仕事や介護の都合がある等，正当な理由がないかぎり，夫婦は同居しなければならないという義務。民法752条⇨p.132）
- **相続権**（夫婦の一方が亡くなったとき，遺された配偶者は亡くなった配偶者の財産を取得することができる権利。民法890条⇨p.133）

　しかし，**同性カップルは婚姻届を提出することができないため，これらの権利義務が発生しません**。パートナーシップ制度を利用しているカップルであっても同様です。そのため，たとえば，家を所有していたパートナーが亡くなってしまったときに遺された人が家を出ていかなければならないという事態が起こり得ます。

　また夫婦の場合，医療機関では，病気やけがによって医療行為を受ける際に，本人だけでなく配偶者も医療行為に関する説明を受けられたり，緊急時には医療行為をする／しないを判断することができたり，入院中の配偶者につき添うことができます。

　しかし，同性カップルの場合，パートナーは「配偶者」ではないという理由で，パートナーが病気で手術をしなければならなくなったときに医師から手術や今後の治療についての説明を受けられなかったり，入院中のパートナーにつき添うことができなかったりします。

　お互いに愛し合い，助け合って日常生活を送っているという点では，夫婦も同性カップルも変わらないはずです。**異性カップルであるか同性カップルであるかという違いにより，このような差が生じていることについて，みなさんはどのように考えますか？**

13 スポーツから考えるフェア
～公正とは何か～

練習試合

　マモルは高校２年生。小学生のころからずっとサッカーをしており，高校でも入学してすぐにサッカー部に入った。フォワードのレギュラー選手として頑張っている。

　この日は近くのＡ高校と練習試合をしていた。
　Ａ高校のチームはいつもルール違反，あるいは違反すれすれのラフなプレーをする。

　ドリブルをしていたＡ高校の選手が突然倒れ，膝をかかえて痛そうに転げ回っている。そして，周りの選手が手を広げて審判にアピールしはじめた。

　Ａ高校の選手「足，引っかけんなよ！　ファウルだろ！」

　マモルは，「またか…　あたってないのに…」と心の中でつぶやいた。
　審判は足をかけたと判断してファウルを宣告。相手チームにフリーキックを与えた。

▶スポーツから見るフェア◀

　スポーツには「フェアプレー」という言葉があります。フェアとは「**競技・勝負に際して要求される，正しく立派な振る舞い**。転じて，**公明正大な行動や態度**」（『大辞林』第３版）をいいます。日本語では「公正」，英語では「fairness」です。「fairness」はゲルマン語の「美しい」「うるわしい」を語源とし，のちに「公明正大」「偏りがない」という意味をあわせ持つようになりました。

　「フェアプレー」「フェアトレード」「フェアユース」などの「フェア」がついた言葉からも内容を想像でき，フェアでないことを「ずるい」「卑怯」と表現するので，その反対の意味ととらえると，なんとなくイメージができるでしょう。

　法の目的は，フェアであるといわれています。言い換えると，**フェアを形にしたものが法なのです**。

（参考）サッカー競技規則 2021/22
第12条（ファウルと不正行為）
1．直接フリーキック
　競技者が次の反則のいずれかを相手競技者に対して不用意に，無謀に，または過剰な力で犯したと主審が判断した場合，直接フリーキックが与えられる。
・チャージする
・飛びかかる
・ける，またはけろうとする
・押す
・打つ，または打とうとする
　（頭突きを含む）
・タックルする，または挑む
・つまずかせる，またはつまずかせようとする

キーワード：フェア／公正と正義

また，相手チームのメンバーが近づいてきて，
「おまえら，へたくそだな」とひとこと言うといったこともあった。
人をバカにしたような顔をして…。

ゲーム終盤，マモルのチームの選手が見事なドリブル突破でゴール前に迫った。
「やった。抜けた！」
ところが，相手チームの選手が審判から見えないところで，ドンと背中を押した。
「あっ」
押された選手は，バランスを崩して相手にボールをとられた。

マモルのチームはそのようなラフなプレーは絶対にしない。マモルもそうだし，先輩から続く伝統なのだ。それでも結構強くて，大会でもいつもいいところまでいく。しかし，あと一歩のところで負けてしまうのだ。
この日も1－2で敗れた。

マモルは試合のあと，グラウンドに立って地面を見つめていた。
「あんなことをしないと勝てないのだろうか」
「いやいや，そんなことない」

▶勝利の追求とフェア　～フェアのジレンマ～◀

　競技スポーツの究極の目的は勝つこと。ただ，これがいきすぎると，勝利至上主義になってしまいます。そのため，どの競技規則でもフェアプレーが強く求められています。
　勝利の追求とフェアのどちらを優先させるのか，あるいはどうやって両立させるのか。勝つためには，ルール違反ぎりぎりのことをしなければならないのか，あるいはスポーツの価値と矛盾することもしなければならないのではないか。プレーヤーや指導者はときに深刻な葛藤に直面することがあります。
　ただ，**このようなジレンマがあるのはスポー**ツだけではありません。フェアは他の目的や価値観とよく衝突します。企業はより多くの利益を上げることを目的としています。とはいっても，利益を得るためなら，なにをしてもいいのでしょうか。社会の一員として守るべき一線があるのではないでしょうか。
　たとえば，巨大な多国籍企業が発展途上国の安い原材料と安い労働力を使って莫大な利益を独占する，利益を増やすために従業員に十分な給料を払わないで長時間働かせる，いわゆる「ブラック企業」も，フェアと他の価値が衝突する場面といえます。

スポーツの一番の目的は？

リ　エ「どうしたの，マモル。朝から浮かない顔して」

次の日，学校でリエから声をかけられた。
リエはマモルの同級生で中学時代からの親友だ。

リ　エ「彼女にでもふられたか？」
マモル「うるさい」
リ　エ「昨日の試合見てたよ，バスケ部の練習が早く終わったから。
　　　　おしかったね」
マモル「相手の戦い方，どう思った？
　　　　足があたってないのにあたったふりをして審判にアピールしたり，こっちがムカッとするようなことを言ったり，審判が見えないところで背中を押したり…」
リ　エ「ん？
　　　　マモルは一体なにを気にしてるの？」
マモル「なにって，決まってるだろ。
　　　　そんなことまでして勝ちたいのかなって」
リ　エ「どうして？
　　　　どうしてそんなふうに思うの？」
マモル「リエは気にならないのか？」
リ　エ「だって，みんな多かれ少なかれやっていることでしょ」
マモル「だからって…
　　　　やっぱりフェアじゃないだろ」
リ　エ「なに，子どもみたいなことを言ってるの？
　　　　スポーツって勝つことが目的じゃないの？
　　　　バスケットボールでも，審判に見えないところで相手のユニフォームをつかんだり，ファウルをもらうために上手にアピールしたり…
　　　　そんなの普通のことじゃない。
　　　　『審判から見えないところでは，少しぐらいファウルしてもいい』っていうコーチもいるみたいだよ」

リエに言われて，マモルは考え込んでしまった。
「でも，昨日の相手チームのプレースタイルは，やっぱりおかしいと思う」
「ルールに書いてなくても，やってはいけないことがある。ルールに書いてあるならなおさらだ」

日本サッカー協会（JFA）のホームページには，次のように記載されている。
──フェアプレーの基本はルールをしっかりと知った上で，それを守ろうと努力することである
でも，それでいいのだろうか。フェアでいる限り，試合には勝てないのだろうか。
…フェアとは一体なんなのだろうか。

シュートの直前で

全国大会の地区予選がはじまった。3回戦の相手は，この間の練習試合で1－2のスコアで負けたＡ高校だった。
試合前にメンバーは円陣を組んで気合いを入れた。

マ　モ　ル「今日は絶対勝とう。この前の練習試合の
　　　　　　リベンジだ！」
キャプテン「今日も自分たちが信じるサッカーをする
　　　　　　ぞ。
　　　　　　本当に強いのはなんなのか，自分たちが
　　　　　　この試合で証明しよう！」
全　　　員「おう！」

前半は先取点を許し，0－1のまま後半に入った。
後半がはじまってすぐ，マモルは相手チームからボールを奪い，相手ゴールに向かってドリブルで進んだ。ゴール前は，ゴールキーパーとセンターバックの二人だけだった。
「センターバックをかわせば，あとはキーパーと1対1だ！
　シュートを決めれば同点だ！」
センターバックをかわしてシュートの態勢に入ろうとした瞬間，マモルは倒れ込んだ。砂けむりが高く舞い上がった。

「やられた！」

後ろから追いかけてきた相手チームの選手が，ボールではなくマモルの足をめがけて強く蹴ったのだ。

激しい痛みで気を失いかけているマモルの耳に，救急車の音が聞こえてきた。足首の痛みと悔しさで目に涙がにじんできた。

「ああ，やっぱり。こうなるのか…」

病院からの帰り道

リエが病院に着くと，ちょうどマモルが診察室から出てきた。左足をギプスで固定され，松葉杖をついていた。

リ　エ「だいじょうぶ？」
マモル「骨折はしてなかったけど，かなりひどい捻挫だって。
　　　　まだちょっと痛い」
リ　エ「さっきの試合見てたよ。後ろから来た選手，悪質なタックルでレッドカードをもらって，一発退場になった」
マモル「…」

マモルはリエの顔を見た。そして，意を決したように口を開いた。

マモル「やっぱりリエが言っていたことのほうが正しかったのかな…」
リ　エ「試合には勝ったよ」
マモル「え!?」
リ　エ「あのあと，ペナルティキックを決めて同点。
　　　　そのあとも"こんなチームに負けられるか"って気持ちが高まって…
　　　　結局，最後は3－1。
　　　　宿敵に勝って，これで決勝トーナメント進出だね」
マモル「そうか，勝ったのか…」

マモルは，松葉杖で一歩ずつ，ときどき顔をしかめながらリエと並んで歩いていた。

リ　エ 「だから言ったのに…
　　　　まじめにフェアプレーばっかりしているから」
マモル 「いてて」
リ　エ 「でも，ちょっと見直したよ」
マモル 「ん？　どういうこと」
リ　エ 「つねにフェアであるというぶれない気持ちは，チームの誇りになって，それが勝
　　　　つための力に変わる。みんなを見ててそう思った」

夕日で赤くなりはじめた空が，二人の顔を照らしていた。

▶「フェア」と「公正」◀

　フェアという言葉は，人と人との関係の中で使われます。
　私たちは，みんなが幸福であるために自分らしく生きたい，自分の目的を実現したいと考えて生活しています。しかし，社会ではつねに他人とかかわらなければなりません。時には対立することもある。権利や利益が衝突するとき，自分のほうこそ「正義」だと言う人がいます。
　アメリカの法哲学者ロールズは，このような場面における重要な原理は「公正」であると考えました。**たんにルールを守るだけではなく，ルールの抜け穴やあいまいさに便乗しない，ルールの本来の目的から逸脱する行動を許さない**という意味を含んでいます。
　「公正」を次のように表現する人もいます。「自由かつ平等なプレーヤーが合意されたルールに従い，正々堂々とゲームを行う姿勢，公明正大な態度」。スポーツのフェアプレーとほとんど同じ意味ですね。
　この本は，契約，交通事故，知的財産，親子関係などたくさんの事例を紹介しています。消費者にいらないものを売りつけたり，マンガを無断でダウンロードしたりすることについて，フェアという視点から考えてみましょう。

14 ポスターを守れ
～立憲主義と民主主義～

放課後の教室で

　マモルとリエが通う学校では，毎年秋に文化祭が盛大に開催される。伝統的に自由・自主・自律を校訓としている同校では，文化祭がもっとも盛り上がる行事だ。今年もクラスでのさまざまな出し物や文化系クラブの発表が行われることになっている。

　部活動が終わったマモルが教室に戻ると，リエが机に向かってなにか描いているようだった。

マモル「よう。遅くまでなにしてるの？　またマンガ描いてるのか」
リ　エ「ううん。演劇部から頼まれてポスターを描いてるんだ。
　　　　文化祭で劇をやるんだって。"早く，早く"って言われてて」
マモル「ふーん。激しい色づかいだなぁ。
　　　　真っ赤で，あちこち不気味な文字やマークが入ってるし」
リ　エ「殺人事件がテーマみたいよ」
マモル「なるほど。まあ，ちょっとどぎつい気もするけど，斬新なデザインでいいと思うよ。内面にグッと刺さってくる感じがする」
リ　エ「ありがと。でも，いま，あんたと芸術を語っている暇はないの。
　　　　時間がないんだから，あっち行ってて」
マモル「ちぇっ。じゃあ先に帰るわ」

　マモルはリエを残して教室から出た。このとき二人は，このポスターをきっかけに大騒動が巻き起こるとは夢にも思っていなかった。

文化祭のあと

　文化祭が終わった。
　1週間ほど過ぎたころ，生徒の間にある噂が流れていた。生徒会が校内のポスターの掲示を規制するルールをつくろうとしているらしい。リエが描いたポスターを見て，「気持ち悪い」と言って泣き出したり，気分が悪くなったりする生徒がいたことがきっかけだった。
　廊下でマモルとリエがそのことを話していると，生徒会役員のトモキが通りかかった。

キーワード：**表現の自由／多数決／立憲主義**

リ エ 「ねえ，トモキ，ポスター掲示のルールを
　　　　つくるって噂を聞いたんだけど…
　　　　どういうこと？
　　　　私が描いたポスターが原因だって？」
トモキ 「そうだよ。
　　　　ただ，原因はどうでもいい。
　　　　公共の授業でも出てきたと思うけど，多
　　　　くの人が気持ちよく日常生活を送るため
　　　　には一定のルールが必要だよね。
　　　　生徒会でいろいろ話し合って，新しい
　　　　ルールを考えることになったんだ。
　　　　あまり派手な色のポスターばかりが掲示板に並ぶと，学校の雰囲気も損なわれる
　　　　しね」
マモル 「どんなルールになるの？」
トモキ 「華美な配色や不適切な表現がないか，学校にふさわしいものかどうか…
　　　　事前に生徒会がチェックして，生徒会印を押印したもののみ掲示できる。
　　　　いまのところ，そんなルールを相談中だ」
マモル 「そもそも，どうして生徒会にそんな権限があるの？」
トモキ 「おいおい，生徒会役員は選挙で選ばれているんだぜ。
　　　　僕たちは全生徒の代表なんだよ。
　　　　ただ，そういう意見もあるかと思って，全校生徒対象にアンケートをとることも
　　　　考えているんだ」

▶表現の自由とその制約◀

　日本国憲法21条は国民の表現の自由を保障しています（⇨p.130）。内容，方法，媒体にかかわらず，演説，新聞，雑誌，ラジオ，テレビ，写真，映画，音楽など，外部に向かって表現することすべてが対象になります。服装も髪型も表現です。**表現の自由がなければ，人身の自由や私生活の自由など他の人権の侵害を監視し，守ることができません。**このため，表現の自由は「ほとんどすべての他の形式の自由の母体であり，不可欠の条件である」（アメリカ最高裁判所裁判官，ベンジャミン・カードーゾ）といわれています。

　ただし，表現が他人の名誉やプライバシーと衝突するときは表現の自由も制限されます。しかし，その重要性から，**表現の自由を制約する場合は必要最小限でなければなりません。**

　表現を発表の前にストップすることを検閲といい，日本国憲法21条2項は「**検閲は，これをしてはならない**」と定めています（⇨p.130）。

113

リエ・マモル「アンケート？」
トモキ「授業で習っただろ。
　　　　それが民主主義，多数決ってやつだ。じゃあな」

　そう言って，トモキは立ち去った。

マモル「う～ん，民主主義か…
　　　　民主主義で決めるんなら，しょうがないんじゃないかなぁ」
リ　エ「いや…
　　　　うまく言えないけど，なにかおかしい気がする」

作戦会議

　トモキが言っていたとおり，全校生対象のアンケートが実施された。結果はまだ発表されていないが，規制に賛成する回答が多いらしいという噂がある一方，自分のクラスはほとんど反対だったという声も聞こえた。
　生徒会では，1週間後にアンケートの結果をふまえた会議を行い，ポスター掲示のルールを決めることになっていた。しかし，役員の間でも意見が分かれているため，発端（ほったん）となったポスターを描いたリエが会議に呼ばれ，意見を述べることになった。

　リエとマモルは，教室で来週の会議に向けて相談をしていた。二人が話をしていると，関心のある生徒が次々に集まってきた。どうやら，文化部の生徒は自分たちの活動に影響するため関心が高いようだった。リエの友人で写真部のマルもその一人だった。

マ　ル「今度開催する写真部展の宣伝ポスターを掲示したくて作ってみたんだけど，生徒
　　　　会の許可をもらえそうかな？」
リ　エ「どれどれ見せて。わっ，すてき!!
　　　　でも，生徒会の趣味（しゅみ）と違うからダメかも」
マ　ル「モノクロ写真はOKだけど，派手な色の写真はダメっていうなら納得（なっとく）できないな。
　　　　私は原色系がベースの色鮮（あざ）やかな作品が大好きで，いつもそういう写真ばかり
　　　　撮っているの。
　　　　ポスターには，私が撮った好きな写真をたくさん配置したい。
　　　　私にとって一番大事なことはそこ！」

マルが主張すると，マモルが言った。

マモル「みんなが好きなところに好きなだけポスターを貼ってたら，学校中がポスターだらけになるかもしれない。
　　　学校全体の雰囲気っていうのもあるだろうし。
　　　そのあたりはどうなんだろう」
リ　エ「いやいや，それを心配するなら，掲示する場所や枚数，大きさを制限すればすむんじゃない？
　　　ポスターの中身しだいで，しかも，貼る前に禁止する必要なんてないはず」
マモル「トモキが言ってた民主主義で考えるとどうだろう。
　　　アンケートの回答の多くが規制に賛成だったら？」
リ　エ「多数決で決められるなら…
　　　たとえば，あの子の絵はいいけどあの子の絵はダメ，
　　　あの子の音楽はいいけど，あの子の音楽はダメってこともあり得るよね？」

リエはさらに続けた。

リ　エ「たしかに今回は学校内の問題だよね。
　　　でも，国や都道府県が同じことをしようとするとどうなるんだろう？
　　　もし国会がそんな法律を作ったら，個人が一番大切にしていることや個人の表現を制限できるってことになるんじゃない？
　　　多数決で決めてはいけないことがあるはず。
　　　私はそう思う」
生徒A「そうだよ」
生徒B「リエの言うとおりだよ」
生徒A「リエ，頑張ってね」
マ　ル「私，自分が思っていることを文章にするから，会議のとき，私のかわりに読んでくれないかな？」
リ　エ「わかった！　みんなもありがとう。
　　　私がまいた種だから私に任せて。
　　　なんとかするから」

いざ決戦の場へ

生徒会の会議の日が来た。
リエは3階の生徒会室の扉の前に立った。

リエは、手に持っている原稿をもう一度読み直した。

そして、顔を上げて大きく深呼吸し、ゆっくりと扉を開けた。

> 公共の授業で、私たちには個人の尊厳が保障されていることを学びました。私にとって写真は一番大切な表現です。多数の意見によって新しいルールができ、その結果、私が大切にしている表現ができなくなるということは許されるのでしょうか。多数決でなんでも決まってしまっていいのでしょうか。私は自分の尊厳と表現を守ります。

▶個人の尊厳と民主主義◀

集団でなにかを決定しなければならないとき、どのような方法を使いますか。ジャンケン？　くじ？　早い者勝ち？　えらい人に決めてもらう？

なにかを決めるときの方法の一つに多数決があります。**多数決は、一人ひとりの意思を最大限反映しながら、早く効率的に決定できるすぐれた方法といえます。**このため、国会や地方議会だけでなく、学校や会社など、社会のあらゆるところで採用されています。

では、多数決ならなんでも決められるのでしょうか。**多数決で決めることが民主主義であるという人もいますが、本当にそうでしょうか。**

かつて個人より全体が優先すると考えられた時代がありました。全体主義といいます。しかし、基本的人権は「人間固有の尊厳に由来する」（国際人権規約）もの。日本国憲法13条も「すべて国民は、個人として尊重される」と宣言し、**個人の尊厳こそが憲法の最高の価値であり、基本的人権や平等権の基盤になるものと位置づけています。**

この考え方からすると、多数決であっても、仮に公共のためという目的があっても、個人の尊厳を否定したり個人の尊厳と矛盾するような決定はできません。**民主主義の究極の目的は個人の尊厳を守ることにあり、決して多数者の支配を意味するものではないからです。**個人の尊厳を基礎とする民主主義を立憲民主主義といいます。

日本国憲法は、基本的人権の尊重と国会・内閣・裁判所（統治機構）から成り立っています。すなわち、「みんなで決めてよいこと、いけないこと」に関すること（基本的人権の尊重）と「みんなで決める仕組み」に関すること（統治機構）を定めているのです。

▶立憲主義の歴史と理念◀

●立憲主義誕生の歴史

憲法の歴史は，中世にさかのぼります。中世の絶対王政の社会では，国王が絶対的な権力を持って人々を支配していました。しかし，国王といえども従わなければならない高次の法があると考えられました。これは根本法などといわれるキリスト教世界における封建的な契約観念でしたが，これが近代立憲主義へ引き継がれたのです。17世紀以降，ロックやルソーなどが主張した，いわゆる社会契約説により，広く国民の自由と権利の保障とそのための統治の基本原理を内容とする近代的な憲法へ，その考えは展開しました。そして18世紀の近代市民革命期には，**憲法は専横的な権力（王権や国家権力など）を制限して，広く国民の権利を保障する立憲主義の思想に基づくもの**となったのです。

「権利の保障が確保されず，権力の分立が定められていない社会は，すべて憲法をもつものではない」とする1789年のフランス人権宣言16条は，それを示すものといえるでしょう。

●憲法ってなんだろう

このように，国家権力を制限して国民の自由と権利を守ることを目的とする憲法を「立憲的憲法」や「近代的憲法」と呼びます。この立憲的憲法は，成文法であり硬性憲法であることが多いのですが，イギリスのように伝統的な不文憲法を堅持している国もあります（注1）。

いずれにしても憲法は，国家の統治の基本を定めた法です。国家には，基本的に政治権力とそれを行使する機関が存在します。この**権力行使機関の組織と，その作用および相互の関係を規律する「規範」となるものが憲法である**と考えられています。加えて，**憲法には政治権力を制限して人権を保障する目的もあります。**

●日本国憲法における立憲主義

憲法が国家権力を抑制する制限規範として機能するためには，その憲法があらゆる国家権力をも上回る地位にあることが必要になると，芦部信喜（注2）が指摘しています。つまり，国家の法体系のうちで，憲法が最上位の法規範であるということが必要となるのです。**憲法が最高法規であるからこそ，国家機関による国家権力の行使を抑制できるのです。**

以上のような立憲主義の理念と憲法規範の特質は，日本国憲法97条と98条に結実したとされます。

97条は，「この憲法が日本国民に保障する基本的人権は，**人類の多年にわたる自由獲得の努力の成果**であつて，これらの権利は，過去幾多の試錬に堪へ，現在及び将来の国民に対し，侵すことのできない永久の権利として信託されたもの」と規定しています（⇨p.130）。また，98条では「この憲法は，国の最高法規であつて」と，明確に最高法規制が定められています（⇨p.131）。

憲法は人類の英知の結晶であり，まさに「**人類の多年にわたる自由獲得の努力の成果**」です。そして，公共的な空間における基本原理であり，私たちの社会をより良くするためのヒントがたくさん詰まった先人たちからの贈り物なのです。

(注1) 外国の憲法と日本の憲法を比較することで，より憲法への理解を深めることができる（比較憲法）。さまざまな国の憲法にも是非とも興味を持ってほしい。
(注2) 東京大学名誉教授で日本の憲法学者（1923-1999）。近年の日本憲法学の権威とされる人物であり，93年に初版が発行された『憲法』は死後も改訂が重ねられ100万部を超える発行部数となっている。

15 国際離婚？　子どもはどうなる？
~国際法~

サヤカの決断

　何年かぶりの同窓会。トモコは，久しぶりに高校時代の親友サヤカに会えるのを楽しみにしていた。ところが，サヤカは結局，同窓会に来なかった。

　サヤカは留学生だったクリフと結婚し，いまでは8歳になる子どもの母。クリフの仕事の都合で昨年までアメリカに住んでいたが，考え方の違いから別居を決意し，アメリカには頼れる人もいないので帰国した，と聞いていた。

　心配になったトモコはサヤカに連絡して，会う約束をした。

　サヤカは，子どものヒトミを連れて帰国してきたのだが，そのことでどうも悩んでいるとのことだった。

トモコ「サヤカ，どうしたの？
　　　せっかくの同窓会だったのに」
サヤカ「トモコ，ごめんね。
　　　参加しようと思ってたんだけど，ヒトミのことがどうしても心配で…」
トモコ「ヒトミちゃん，8歳だっけ？
　　　なにが心配なの？」
サヤカ「クリフから『ヒトミをアメリカに帰せ』って言われているの」
トモコ「ヒトミちゃん，アメリカで生まれたんだっけ？
　　　こっちの生活には慣れてるの？」
サヤカ「こっちに帰ってきて，もう半年ぐらいになるかな…
　　　私，アメリカにいたころから家では日本語で話してたの。
　　　だから，ヒトミも普通に日本語も話せるし，とくに問題ないと思う。
　　　クリフは仕事ばっかりで，もともとそんなに家にいなかったし…
　　　ヒトミのことは，私がずっと見てきたから」
トモコ「昔からクリフって，"仕事がなによりも大事"みたいなところあったよね～。
　　　でも，こっちに帰ってくるときにクリフとはちゃんと話したんでしょ？」

キーワード：国際離婚／ハーグ条約／親子関係

サヤカ「ううん。最初はちゃんと話し合おうと思っていたけどね。
　　　　ふたこと目には『なにが問題なんだ。家庭の役割分担でいったら，ヒトミの世話をするのは君の役割だろ。家事がつらいなら，代行サービスを頼めよ。そのぐらいは稼いでいるはずだ』って言うんだ。全然話にならない…
　　　　離婚のことを話し合おうとしても，全然取り合ってくれないし。
　　　　そんな状態が半年ぐらい続いたのかな」
トモコ「それって，半年間ほとんど会話がなかったってこと？」

サヤカがアメリカで幸せに暮らしているものと思っていたトモコは，サヤカの話に驚きを隠せなかった。

サヤカ「そう。それ以前からすれ違いばっかりで会話なんてなかったんだけどね。
　　　　こっちに帰ってくる3か月くらい前に，クリフが出張で1か月間帰ってこなくて。
　　　　戻ってきて1か月半くらいで『また1か月間出張だから』って言うから，『出張多いし，長くない？』って言ったの。
　　　　そしたら，『僕の仕事に口出しするな！』って。
　　　　それで，またほったらかしにされて…」
トモコ「それはクリフもひどいね。それでどうしたの？」
サヤカ「それで，もうイヤになって，クリフが出張に行ってる間にこっちに帰ってきた。
　　　　話し合いにならないし，どうせ家にいないんだもん。
　　　　向こうで働いたり，子どもを育てたりすることも考えたけど，学校のことも勝手が違うし，なにをすればいいかわからなかったんだよねぇ。
　　　　日本なら私の親もいるし，学校のこともわかってるから子どもを育てやすい」

親が子どもを連れてくるのはいいんじゃないの？

トモコ「クリフはヒトミちゃんの世話自体はしてたの？」
サヤカ「ううん。クリフはいつも『僕は僕なりにやってる』って言ってたけど。
　　　　気が向いたときに，ちょっと話しかけるぐらいのことを世話なんて言わない。
　　　　出かけるって言っても，自分の興味が優先だしね。
　　　　ご飯はつくらない。洗濯もしない。買い物もしない。
　　　　なにかにつけて"仕事，仕事"って…
　　　　向こうで離婚の話し合いが進まないとき，どうしたらよかったんだろう？」

トモコ「そうね… 裁判とか？」

サヤカ「たしかに，向こうでは裁判での離婚しか認められていない場合が多いけど…
そんなこと，私一人じゃできないし，向こうの弁護士に相談することも考えたけど，お金がたりなくて。
こっちに帰ってきた時点で全然お金がなかったし。
"せめて旅費だけは"と思って，お金を残しておいてよかった。
いま，実家にいるんだけど，ほんとにお母さんには感謝してる」

トモコ「そんな状況だったんだぁ。大変だったね。
でも，サヤカがヒトミちゃんの世話をしてたんだったら，クリフの言うとおりにしなくてもいいんじゃない？
私もあまりよく知らないけど，離婚をするとき，子どもが小さい場合の親権ってお母さんのほうが優先されるみたいだし…
それに，サヤカのほうがヒトミちゃんと長い時間いるんだし」

サヤカ「それが，ちょっと違うみたいなの…」

トモコ「どういうこと？」

サヤカ「私もよくわからなくて，市役所の法律相談に行ってみたんだけど，ハーグ条約でいう『不法な子の連れ去り』っていうのにあたる可能性があるって」

トモコ「えっ？ でも，不法って…」

▶ハーグ条約とは◀

ハーグ条約（⇨ p.150）では，離婚などにともない，**一方の親の同意なく子どもを常居所地国*から移動させた場合に，子どもを常居所地国に迅速に返還するための手続きと国境を隔てて暮らす親子間の面会交流を実現するための手続きを設け**て，締結国間でその実現に協力すべきことが求められています。日本では2014年4月1日に発効され，同じ日に，ハーグ条約の実施に必要な国内手続等を定めるハーグ条約実施法も施行されています。

ハーグ条約は，以下のような場合に適応されます。

①子の常居所地国と移動させられた先の国が，ともにハーグ条約締結国である場合，②子が16歳に達していない場合，③子を移動させられた側の親の監護権を侵害している場合（婚姻している夫婦は，ともに子の監護権を持つため，これにあたる）。また，日本人と外国籍の人の間の国際結婚・離婚にともなう子どもの移動に限らず，日本人同士の場合も対象となります。

*子どもが生活実態として，もともと住んでいた国のこと。ヒトミの場合はアメリカになる。

えっ？　日本と外国では法律も考え方もそんなに違うの？

サヤカ「それだけじゃなくて，刑罰の対象になる可能性もあるって…」

トモコ「ええっ！　そんなことになっちゃうの？　自分の子どもなのに？
　　　　クリフがそんな状態じゃ，ヒトミちゃんを置いてくるなんてできないでしょ？」

サヤカ「私もびっくりしたの。
　　　　でも，向こうの刑法が適用されるから，その可能性もあるって言われて…
　　　　でも，いまさらヒトミだけをアメリカに帰すことなんてできないし…」

トモコ「市役所の法律相談ってくわしく話を聞けるの？
　　　　相談に乗ってくれるのって弁護士さんだよね？」

▶日本の現状とハーグ条約の考え方の違い◀

　日本では，離婚により子どもの親権者や養育者を決める際，それまで誰が中心的に育児をしていたかが重視される傾向にあります。そのため，中心的に育児をしていた母親もしくは父親が子どもといっしょにそれまで住んでいた場所を離れたとしても，すぐにもとの住居に子を帰さなければならないということにはなりません。

　原則としては，子どもが育児を中心的に担っていた親といっしょにいることが優先され，場所はそれほど重視されない傾向があります。日本では，まだまだ母親が育児を含む家事の中心を担っている場合が多いため，母親が子どもをともなって別居を開始したとしても，それが正当とされる場合が多いようです。また，日本国内にいる限りは，それほど大きな環境の変化はないと考えられているのかもしれません。

　一方，**海外では，子どもの生活環境を変えることは望ましいことではないという考えが採用され**ています。とくに，国をまたぐ移動は，子どものためにならないと考えられているのです。ハーグ条約は前文で「子の利益がもっとも重要であることを深く確信」するとしています。ハーグ条約が子どもをもともとの住居に帰そうとするのはあくまでも親の利益ではなく，子どもの利益を思ってのことです。また，離婚についても，財産分与，子どもの養育費など，決めるべきことを決めてからするべきと考えています。

　日本でも，子どものためになにがいいのか考えられ，兄弟姉妹の監護はできる限りいっしょになされることが多く，子どもの監護状況について家庭裁判所が調査をすることもあります。

　このように，**双方とも「子どもの利益」を考えていても，考え方が異なるために，結論は違ってくる**のです。近年では，日本でも「子の連れ去り」に対して厳しい意見が出されており，今後，ハーグ条約の考え方に近づいていく可能性があります。

　ハーグ条約の事例では，「子どもがどこに住むのか」が問題となりますが，国によって違いがあり，同じ国内でも場所によって考え方に違いがある国もあります。その考え方の違いが法律の違いに反映されているのです。なお，国際結婚は現在，年間3万件にも達しており，それにともない，国際離婚も増えています。文化や法律が異なるためにいろいろな問題が生じ，それは自分のことだけでなく，子どもや家族の問題ともなります。

　ハーグ条約についてくわしく知りたい人は，外務省のHPを見てみましょう。
https://www.mofa.go.jp/mofaj/gaiko/hague/index.html

サヤカ「うん,弁護士さん。
　　　でも,くわしい話は聞けなかったの。
　　　最初は,相手が海外にいるってことを伝え忘れてて…
　　　私が『実家に子どもを連れて帰ってきたんですけど,問題ないですよね?』って聞いたら,弁護士さんも『お母さんのほうが子どもといる時間が長いから,大丈夫じゃないかな』って言ってくれたんだけど。
　　　途中で,私がアメリカから帰ってきたって言ったら,『それは問題だ!』ってことになって。
　　　ハーグ条約っていう条約があるって説明を受けたんだけど,そこで時間になっちゃったんだよね…
　　　結局,『この問題はハーグ条約にくわしい弁護士に聞いたほうがいいよ』って言われた」

サヤカはここまで一気に話すと,ため息をついた。

トモコ「そっか。でも,最初は大丈夫って話だったんでしょ?
　　　アメリカから帰国したってことで,話が急に変わっちゃったってこと?」
サヤカ「そういう感じだったわ。
　　　日本とアメリカっていうか,海外とは考え方が違うみたいで,相談した弁護士さんもあわててた」
トモコ「考え方が違うってどういうこと?」
サヤカ「そこまで聞く時間はなかったの。
　　　考え方が違うのは,向こうに行ったときからわかっていたことではあるけど,親子の問題なんて万国共通みたいに思ってたのよね。
　　　子どものことを最優先に考えれば,大丈夫って思ってたのに」
トモコ「そもそもの考え方が違うってことなのかな?
　　　でも,まさか強制執行っていうの?
　　　そういうのはないよね?」

サヤカ「ん〜，どうも強制的な手段もあり得るみたいなの」
トモコ「えー！　日本じゃ，そんなことないよね？」
サヤカ「それは日本でも同じらしいよ。
　　　そういう手段が用意されていなきゃ意味がないってことみたい」
トモコ「そこは同じなんだ…
　　　でも，ヒトミちゃんのことを考えたら，サヤカといっしょにいたほうがいいと思うんだけどな。
　　　ところで，サヤカってちゃんと離婚はしたの？」
サヤカ「ヒトミの面倒も見なくちゃならないし，生活に追われてて，まだ手続きしてないんだ。
　　　働きはじめたばっかりだし」
トモコ「いまからでもいいから，それはちゃんとしておいたほうがいいよ。
　　　まず，そこからはじめなきゃ」
サヤカ「そうだよね，わかった。
　　　ありがとう，トモコ」
トモコ「うまくいくことを祈ってる。
　　　それに，クリフももともとは悪い奴じゃないはずだからね」

サヤカの報告

　数か月後，ハーグ条約に基づいて，クリフから子どもの引き渡しの申し立てがなされた。一方，サヤカはこれまで離婚を避けていたことを反省し，お金の都合をつけて，アメリカでの裁判を申し立てた。裁判の中でクリフも話し合いを避けていたことを認め，結論としては離婚して，共同親権を持つことになり，ハーグ条約に基づく子どもの引き渡しの申し立ては取り下げられることになった。

▶共同親権◀

　親権とは，未成年の子どもの世話をしたり，財産を管理したりする権利のことをいいます。親権を行使できるのは未成年の子どもなので，2022年4月以降は18歳までとなります。**共同親権とは，父と母の両方が子どもに対する親権を持つこと**をいい，婚姻しているときはこの状態であるといえます。現在の日本では，離婚した夫婦の共同親権は認められておらず，いずれかの親が親権を有するとされています。諸外国では，離婚した夫婦である場合でも共同親権を認めている国が多くあります。

今日はそのことについて，サヤカからトモコに対する報告会。

サヤカ「いろいろと手続きが大変だったけど，なんとか落ち着いてよかった」
トモコ「よかったね。ヒトミちゃん，こっちで暮らすことになったんでしょ」
サヤカ「うん，そうなの。
　　　　日本とアメリカで離れてるから，クリフとの面会交流も結構大変そうだけどね。
　　　　それでも，ケジメもつけられたし，よかったと思う」
トモコ「向こうにずっと行ったままってことは避けられたんだからよかったよね。
　　　　それに養育費もちゃんと決まったんだよね」
サヤカ「うん。まぁ，最初からもうちょっと話し合ってくれてたら，こんなややこしい話
　　　　にならずにすんだと思うんだけど」
トモコ「それはもう，お互いさまってやつじゃない？
　　　　離婚の話し合いをするなかで，サヤカも気づいたことがあったんでしょ」
サヤカ「それはそうなんだよね。
　　　　私も，アメリカでの生活についてよく考えたり調べたりしなくて，クリフ任せに
　　　　してきたところがあって…
　　　　逆にヒトミのこと以外はなにもしてなかったなって気づいたかな」
トモコ「本当はもともと，もっと考えなきゃいけないことがあったってこと？」
サヤカ「うん。トモコに言われて，あわてて離婚のこともちゃんとしたけど，言われてな
　　　　かったら先のばしにしてたかも。
　　　　私もいけないところがあったかなって反省してる」

▶**スポーツの世界ではこんなことも**◀

サッカーでは，原則的に2021年度から**18歳以下の外国籍の生徒が高校の公式戦に出ることができなくなりました**。これは日本サッカー協会（JFA）が決定したものですが，その背景には，国際サッカー連盟（FIFA）が18歳以下の選手の国際移籍を禁じる規則を定めたことがあります。国際サッカー連盟がこのような規則を定めたのは，海外の有名なクラブが才能あると見込んだ子どもをクラブに移籍させるなどの人身売買まがいのことが行われていたことに危機感をいだいたからです（活躍できて，そのままクラブで巨額の契約金をもらえることもありますが，一方で，思ったほど活躍できなかった場合，なんの補償もなく海外で急に契約を切られることもあったとのことです）。この規則が定められた**理由は子どもを守るという正当なものですが，一方で，留学の自由を奪うものでもあります**。みなさんもこの規則について考えてみてください。

国際法と国内法の関係

　日本国内には，国会によってつくられた法律があり，国内で法律を守らなかった場合は，法律にしたがって罰則が科されることがあります。しかし，国際社会では国会にあたる機関はなく，すべての国家の行動を統一的に規律するような法はありません。

　国際社会の中で国家の行動を規律するには，国家同士が約束をすることが必要になります。それが「条約」です。条約は国家同士の約束ですが，2か国間での約束（2国間条約）だけではなく，多くの国が参加する条約（多国間条約）もあります。たとえば，地球環境を守るためには国際的な協力が必要となりますし，子どもの権利などは国際社会全体で守らなければならないと考えられています。これらについては，国際的な合意をする必要があります。

　日本では，憲法の規定により内閣が条約の締結権を有しています。ただし，国会の事前か事後の承認が必要となります（日本国憲法 73条）。

　条約を批准したことによって，日本国内ですぐにそのまま適用することができる条約と，そのまま適用することができない条約とがあります。ただ，日本で条約を批准する場合には，その条約の内容に合わせて国内法が制定されるか，関連の法規が改正されることが多く，これにより国内法を適用して，条約の実効性を確保しています。ハーグ条約についても条約に合わせた国内法を制定しています。

　国際社会には一つの大きな力というものがなく，仮に，条約を破ったとしても，その国家に対して強制力を発動できる主体が基本的にはありません。そのため，条約は法の一つの形式ですが，強制力がなく，その条約を守るかどうかはそれぞれの国の自発的な取り組みにゆだねることになるのが通常です（ただし，例外はありますし，事実上の大きな拘束力を持つ条約もあります）。

『法むるーむ』のご紹介

　1998年,大阪弁護士会は『法むるーむ　〜知ってほしい法律知識』を制作・発行しました。法律は遠い世界のものではない。肌身で感じるべき身近な道具である。これを伝えるため,身の周りで起こりそうなストーリーを設定し,これを弁護士がコラムで解説するという全国ではじめての試みでした。まだ「法教育」という言葉もなく,弁護士が子どもに向けてなにかをするという発想がまったくなかったころです。

　その後法教育の考えが広まっていくなか,法教育は教員と弁護士が協同して取り組むべきだと考えるメンバーが集まり,2005年,「法むるーむネット」を結成しました。以来,高校教員と弁護士が1〜2か月に1回程度の割合で会議を行い,法教育授業の研究と実践,勉強会・シンポジウム・教員向け研修の開催,施設見学等の調査・研究活動を行っています。中学生版を含め,これまで4つの『法むるーむ』を制作しました。

　このたび,新科目「公共」が始まる時期に合わせ,再び教員と弁護士が力を合わせ新たな『法むるーむ』を送り出すことといたしました。

　最後になりますが,清水書院のみなさまには企画や校正において多大なご協力をいただき,ありがとうございました。

「法むるーむネット」
　　　　　　代表　　　　　　連絡先
　弁護士　宮島繁成　miyajima@himawarilaw.com
　教　員　江口祐二　tamarumi2022@gmail.com（田丸美紀）

1998年10月発行
『法むるーむ　〜知ってほしい法律知識』

巻末資料

・刑事司法手続きの流れ
「捜査手続きの流れ」と「少年事件手続きの流れ」を図解しています。

・参照条文
各事例に関連するおもな条文を掲載しています。
日本国憲法／民法／特定商取引法／消費者契約法／自動車損害賠償保障法／道路交通法／自動車運転死傷行為処罰法／刑法／刑事訴訟法／著作権法／特許法／商標法／意匠法／不正競争防止法／労働基準法／労働安全衛生法／最低賃金法／男女雇用機会均等法／労働契約法／少年法／少年院法／DV防止法／児童虐待防止法／児童福祉法／裁判員の参加する刑事裁判に関する法律（裁判員法）／子どもの権利条約／ハーグ条約（国際的な子の奪取の民事上の側面に関する条約）

・相談先，関係機関のご紹介
いざというときに相談することができる窓口や行政機関のご紹介ページです。

刑事司法手続きの流れ

● 捜査手続きの流れ ●

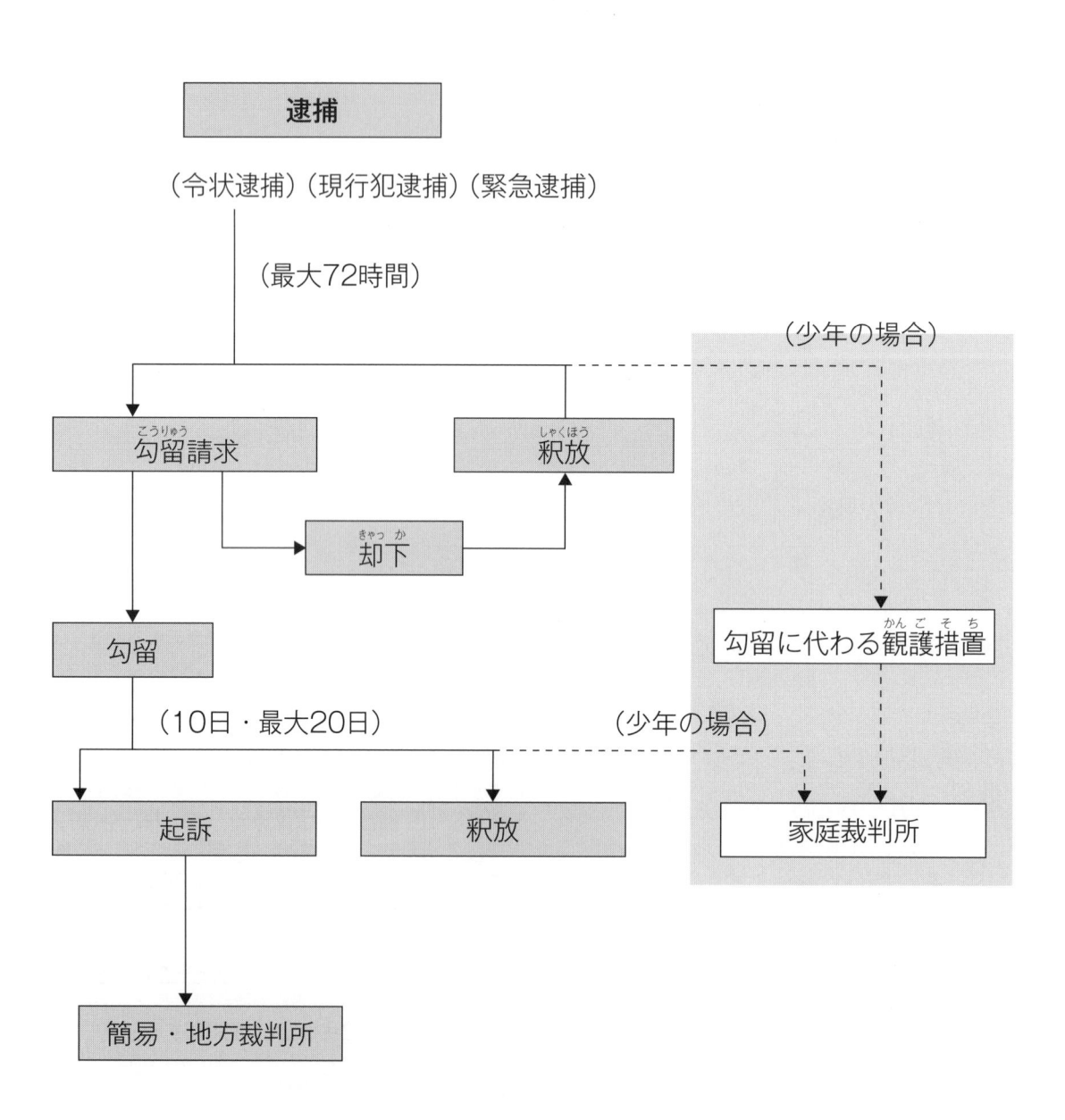

```
                    逮捕
        （令状逮捕）（現行犯逮捕）（緊急逮捕）

                （最大72時間）
                                            （少年の場合）
    ┌──────────┬──────────────┐
    ↓          ↓              ↓
 勾留請求      釈放
    │          ↑
    │    ┌─── 却下
    ↓    │                          勾留に代わる観護措置
   勾留  │
    │                （少年の場合）
    │ （10日・最大20日）
    ├──────┬──────────────┐
    ↓      ↓                      ↓
   起訴   釈放                 家庭裁判所
    ↓
 簡易・地方裁判所
```

※手続きのうちおもな流れを抜粋

● 少年事件手続きの流れ ●

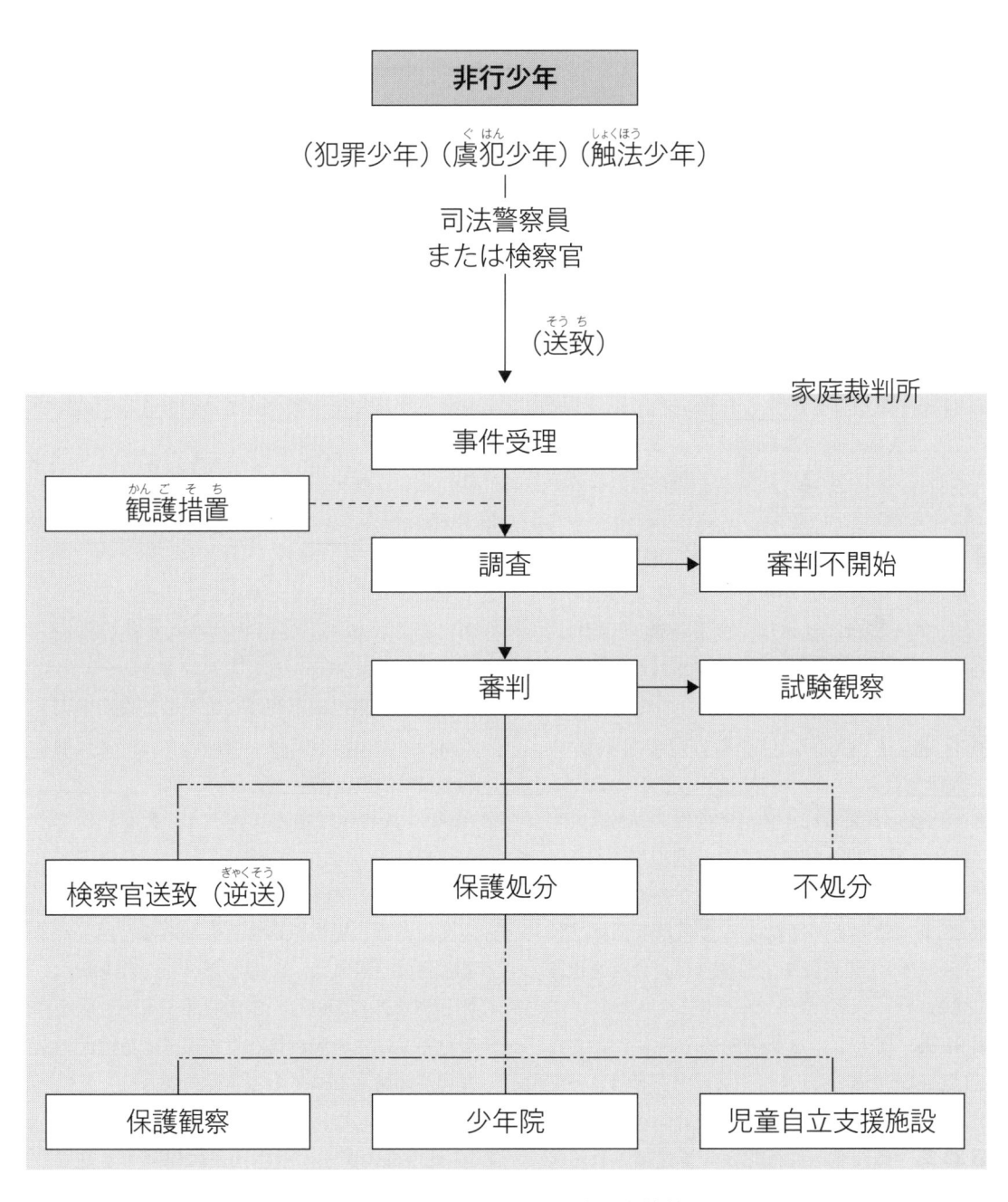

非行少年

（犯罪少年）（虞犯少年）（触法少年）

司法警察員
または検察官

↓（送致）

家庭裁判所

- 事件受理
- 観護措置 ---- 調査 → 審判不開始
- 審判 → 試験観察
- 検察官送致（逆送） / 保護処分 / 不処分
- 保護観察 / 少年院 / 児童自立支援施設

※手続きのうちおもな流れを抜粋

参照条文 (2022年5月末現在)

日本国憲法

第13条 すべて国民は，個人として尊重される。生命，自由及び幸福追求に対する国民の権利については，公共の福祉に反しない限り，立法その他の国政の上で，最大の尊重を必要とする。

第16条 何人も，損害の救済，公務員の罷免，法律，命令又は規則の制定，廃止又は改正その他の事項に関し，平穏に請願する権利を有し，何人も，かかる請願をしたためにいかなる差別待遇も受けない。

第21条 集会，結社及び言論，出版その他一切の表現の自由は，これを保障する。

2 検閲は，これをしてはならない。通信の秘密は，これを侵してはならない。

第24条 婚姻は，両性の合意のみに基いて成立し，夫婦が同等の権利を有することを基本として，相互の協力により，維持されなければならない。

2 配偶者の選択，財産権，相続，住居の選定，離婚並びに婚姻及び家族に関するその他の事項に関しては，法律は，個人の尊厳と両性の本質的平等に立脚して，制定されなければならない。

第27条 すべて国民は，勤労の権利を有し，義務を負ふ。

2 賃金，就業時間，休息その他の勤労条件に関する基準は，法律でこれを定める。

3 児童は，これを酷使してはならない。

第28条 勤労者の団結する権利及び団体交渉その他の団体行動をする権利は，これを保障する。

第31条 何人も，法律の定める手続によらなければ，その生命若しくは自由を奪はれ，又はその他の刑罰を科せられない。

第33条 何人も，現行犯として逮捕される場合を除いては，権限を有する司法官憲が発し，且つ理由となつてゐる犯罪を明示する令状によらなければ，逮捕されない。

第34条 何人も，理由を直ちに告げられ，且つ，直ちに弁護人に依頼する権利を与へられなければ，抑留又は拘禁されない。又，何人も，正当な理由がなければ，拘禁されず，要求があれば，その理由は，直ちに本人及びその弁護人の出席する公開の法廷で示されなければならない。

第37条 すべて刑事事件においては，被告人は，公平な裁判所の迅速な公開裁判を受ける権利を有する。

2 刑事被告人は，すべての証人に対して審問する機会を充分に与へられ，又，公費で自己のために強制的手続により証人を求める権利を有する。

3 刑事被告人は，いかなる場合にも，資格を有する弁護人を依頼することができる。被告人が自らこれを依頼することができないときは，国でこれを附する。

第38条 何人も，自己に不利益な供述を強要されない。

2 強制，拷問若しくは脅迫による自白又は不当に長く抑留若しくは拘禁された後の自白は，これを証拠とすることができない。

3 何人も，自己に不利益な唯一の証拠が本人の自白である場合には，有罪とされ，又は刑罰を科せられない。

第82条 裁判の対審及び判決は，公開法廷でこれを行ふ。

2 裁判所が，裁判官の全員一致で，公の秩序又は善良の風俗を害する虞があると決した場合には，対審は，公開しないでこれを行ふことができる。但し，政治犯罪，出版に関する犯罪又はこの憲法第三章で保障する国民の権利が問題となつてゐる事件の対審は，常にこれを公開しなければならない。

第97条 この憲法が日本国民に保障する基本的人権は，人類の多年にわたる自由獲得の努

力の成果であつて，これらの権利は，過去幾多の試錬に堪へ，現在及び将来の国民に対し，侵すことのできない永久の権利として信託されたものである。

第98条　この憲法は，国の最高法規であつて，その条規に反する法律，命令，詔勅及び国務に関するその他の行為の全部又は一部は，その効力を有しない。

2　略

民　法

(成年)

第4条　年齢18歳をもって，成年とする。

(未成年者の法律行為)

第5条　未成年者が法律行為をするには，その法定代理人の同意を得なければならない。ただし，単に権利を得，又は義務を免れる法律行為については，この限りでない。

2　前項の規定に反する法律行為は，取り消すことができる。

3　第1項の規定にかかわらず，法定代理人が目的を定めて処分を許した財産は，その目的の範囲内において，未成年者が自由に処分することができる。(以下略)

(制限行為能力者の詐術)

第21条　制限行為能力者が行為能力者であることを信じさせるため詐術を用いたときは，その行為を取り消すことができない。

(公序良俗)

第90条　公の秩序又は善良の風俗に反する法律行為は，無効とする。

(錯誤)

第95条　意思表示は，次に掲げる錯誤に基づくものであって，その錯誤が法律行為の目的及び取引上の社会通念に照らして重要なものであるときは，取り消すことができる。

一　意思表示に対応する意思を欠く錯誤

二　表意者が法律行為の基礎とした事情についてのその認識が真実に反する錯誤

2～4　略

(詐欺又は強迫)

第96条　詐欺又は強迫による意思表示は，取り消すことができる。

2・3　略

(契約の締結及び内容の自由)

第521条　何人も，法令に特別の定めがある場合を除き，契約をするかどうかを自由に決定することができる。

2　契約の当事者は，法令の制限内において，契約の内容を自由に決定することができる。

(契約の成立と方式)

第522条　契約は，契約の内容を示してその締結を申し入れる意思表示に対して相手方が承諾をしたときに成立する。

2　契約の成立には，法令に特別の定めがある場合を除き，書面の作成その他の方式を具備することを要しない。

(雇用)

第623条　雇用は，当事者の一方が相手方に対して労働に従事することを約し，相手方がこれに対してその報酬を与えることを約することによって，その効力を生ずる。

(期間の定めのない雇用の解約の申入れ)

第627条　当事者が雇用の期間を定めなかったときは，各当事者は，いつでも解約の申入れをすることができる。この場合において，雇用は，解約の申入れの日から2週間を経過することによって終了する。

2・3　略

(やむを得ない事由による雇用の解除)

第628条　当事者が雇用の期間を定めた場合であっても，やむを得ない事由があるときは，各当事者は，直ちに契約の解除をすることができる。この場合において，その事由が当事者の一方の過失によって生じたものであるときは，相手方に対して損害賠償の責任を負う。

（不法行為による損害賠償）
第709条　故意又は過失によって他人の権利又は法律上保護される利益を侵害した者は，これによって生じた損害を賠償する責任を負う。
（財産以外の損害の賠償）
第710条　他人の身体，自由若しくは名誉を侵害した場合又は他人の財産権を侵害した場合のいずれであるかを問わず，前条の規定により損害賠償の責任を負う者は，財産以外の損害に対しても，その賠償をしなければならない。
（近親者に対する損害の賠償）
第711条　他人の生命を侵害した者は，被害者の父母，配偶者及び子に対しては，その財産権が侵害されなかった場合においても，損害の賠償をしなければならない。
（責任能力）
第712条　未成年者は，他人に損害を加えた場合において，自己の行為の責任を弁識するに足りる知能を備えていなかったときは，その行為について賠償の責任を負わない。
（責任無能力者の監督義務者等の責任）
第714条　前2条の規定により責任無能力者がその責任を負わない場合において，その責任無能力者を監督する法定の義務を負う者は，その責任無能力者が第三者に加えた損害を賠償する責任を負う。ただし，監督義務者がその義務を怠らなかったとき，又はその義務を怠らなくても損害が生ずべきであったときは，この限りでない。
2　略
（婚姻適齢）
第731条　婚姻は，18歳にならなければ，することができない。
（再婚禁止期間）
第733条　女は，前婚の解消又は取消しの日から起算して100日を経過した後でなければ，再婚をすることができない。
2　前項の規定は，次に掲げる場合には，適用しない。
　一　女が前婚の解消又は取消しの時に懐胎していなかった場合
　二　女が前婚の解消又は取消しの後に出産した場合
（婚姻の届出）
第739条　婚姻は，戸籍法の定めるところにより届け出ることによって，その効力を生ずる。
2　略
（夫婦の氏）
第750条　夫婦は，婚姻の際に定めるところに従い，夫又は妻の氏を称する。
（同居，協力及び扶助の義務）
第752条　夫婦は同居し，互いに協力し扶助しなければならない。
（協議上の離婚）
第763条　夫婦は，その協議で，離婚をすることができる。
（裁判上の離婚）
第770条　夫婦の一方は，次に掲げる場合に限り，離婚の訴えを提起することができる。
　一　配偶者に不貞な行為があったとき。
　二　配偶者から悪意で遺棄されたとき。
　三　配偶者の生死が3年以上明らかでないとき。
　四　配偶者が強度の精神病にかかり，回復の見込みがないとき。
　五　その他婚姻を継続し難い重大な事由があるとき。
2　略
（嫡出の推定）
第772条　妻が婚姻中に懐胎した子は，夫の子と推定する。
2　婚姻の成立の日から200日を経過した後又は婚姻の解消若しくは取消しの日から300日以内に生まれた子は，婚姻中に懐胎したものと推定する。

（監護及び教育の権利義務）

第820条 親権を行う者は，子の利益のために子の監護及び教育をする権利を有し，義務を負う。

（親権喪失の審判）

第834条 父又は母による虐待又は悪意の遺棄があるときその他父又は母による親権の行使が著しく困難又は不適当であることにより子の利益を著しく害するときは，家庭裁判所は，子，その親族，未成年後見人，未成年後見監督人又は検察官の請求により，その父又は母について，親権喪失の審判をすることができる。ただし，2年以内にその原因が消滅する見込みがあるときは，この限りでない。

（親権停止の審判）

第834条の2 父又は母による親権の行使が困難又は不適当であることにより子の利益を害するときは，家庭裁判所は，子，その親族，未成年後見人，未成年後見監督人又は検察官の請求により，その父又は母について，親権停止の審判をすることができる。

2　略

（配偶者の相続権）

第890条 被相続人の配偶者は，常に相続人となる。（以下略）

特定商取引法

（目的）

第1条 この法律は，特定商取引を公正にし，及び購入者等が受けることのある損害の防止を図ることにより，購入者等の利益を保護し，あわせて商品等の流通及び役務の提供を適正かつ円滑にし，もつて国民経済の健全な発展に寄与することを目的とする。

（定義）

第2条 この章及び第58条の18第1項において「訪問販売」とは，次に掲げるものをいう。

一　販売業者又は役務の提供の事業を営む者が営業所，代理店その他の主務省令で定める場所以外の場所において，売買契約の申込みを受け，若しくは売買契約を締結して行う商品若しくは特定権利の販売又は役務を有償で提供する契約の申込みを受け，若しくは役務提供契約を締結して行う役務の提供

二　販売業者又は役務提供事業者が，営業所等において，営業所等以外の場所において呼び止めて営業所等に同行させた者その他政令で定める方法により誘引した者から売買契約の申込みを受け，若しくは特定顧客と売買契約を締結して行う商品若しくは特定権利の販売又は特定顧客から役務提供契約の申込みを受け，若しくは特定顧客と役務提供契約を締結して行う役務の提供

2　略

3　この章及び第58条の20第1項において「電話勧誘販売」とは，販売業者又は役務提供事業者が，電話をかけ又は政令で定める方法により電話をかけさせ，その電話において行う売買契約又は役務提供契約の締結についての勧誘により，その相手方から当該売買契約の申込みを郵便等により受け，若しくは電話勧誘顧客と当該売買契約を郵便等により締結して行う商品若しくは特定権利の販売又は電話勧誘顧客から当該役務提供契約の申込みを郵便等により受け，若しくは電話勧誘顧客と当該役務提供契約を郵便等により締結して行う役務の提供をいう。

4　略

（訪問販売における契約の申込みの撤回等）

第9条 販売業者若しくは役務提供事業者が営業所等以外の場所において商品若しくは特定権利若しくは役務につき売買契約若しくは役務提供契約の申込みを受けた場合若しくは販売業者若しくは役務提供事業者が営業所等において特定顧客から商品若しくは特定権利若

しくは役務につき売買契約若しくは役務提供契約の申込みを受けた場合におけるその申込みをした者又は販売業者若しくは役務提供事業者が営業所等以外の場所において商品若しくは特定権利若しくは役務につき売買契約若しくは役務提供契約を締結した場合若しくは販売業者若しくは役務提供事業者が営業所等において特定顧客と商品若しくは特定権利若しくは役務につき売買契約若しくは役務提供契約を締結した場合におけるその購入者若しくは役務の提供を受ける者は，書面又は電磁的記録（電子的方式，磁気的方式その他人の知覚によつては認識することができない方式で作られる記録であつて，電子計算機による情報処理の用に供されるものをいう。以下同じ。）によりその売買契約若しくは役務提供契約の申込みの撤回又はその売買契約若しくは役務提供契約の解除を行うことができる。ただし，申込者等が第5条第1項又は第2項の書面を受領した日から起算して8日を経過した場合においては，この限りでない。

2　申込みの撤回等は，当該申込みの撤回等に係る書面又は電磁的記録による通知を発した時に，その効力を生ずる。

3～8　略

（通信販売における契約の解除等）

第15条の3　通信販売をする場合の商品又は特定権利の販売条件について広告をした販売業者が当該商品若しくは当該特定権利の売買契約の申込みを受けた場合におけるその申込みをした者又は売買契約を締結した場合におけるその購入者は，その売買契約に係る商品の引渡し又は特定権利の移転を受けた日から起算して8日を経過するまでの間は，その売買契約の申込みの撤回又はその売買契約の解除を行うことができる。ただし，当該販売業者が申込みの撤回等についての特約を当該広告に表示していた場合には，この限りでない。

2　略

（連鎖販売取引の定義）

第33条　この章並びに第58条の21第1項及び第3項並びに第67条第1項において「連鎖販売業」とは，物品の販売又は有償で行う役務の提供の事業であつて，販売の目的物たる物品の再販売，受託販売若しくは販売のあつせんをする者又は同種役務の提供若しくはその役務の提供のあつせんをする者を特定利益を収受し得ることをもつて誘引し，その者と特定負担を伴うその商品の販売若しくはそのあつせん又は同種役務の提供若しくはその役務の提供のあつせんに係る取引をするものをいう。

2・3　略

（連鎖販売取引における書面の交付）

第37条　連鎖販売業を行う者は，連鎖販売取引に伴う特定負担をしようとする者とその特定負担についての契約を締結しようとするときは，その契約を締結するまでに，主務省令で定めるところにより，その連鎖販売業の概要について記載した書面をその者に交付しなければならない。

2　連鎖販売業を行う者は，その連鎖販売業に係る連鎖販売取引についての契約を締結した場合において，その連鎖販売契約の相手方がその連鎖販売業に係る商品の販売若しくはそのあつせん又は役務の提供若しくはそのあつせんを店舗等によらないで行う個人であるときは，遅滞なく，主務省令で定めるところにより，次の事項についてその連鎖販売契約の内容を明らかにする書面をその者に交付しなければならない。

一～五　略

（連鎖販売契約の解除等）

第40条　連鎖販売業を行う者がその連鎖販売業に係る連鎖販売契約を締結した場合におけるその連鎖販売契約の相手方は，第37条第2項の書面を受領した日から起算して20日を経過したときを除き，書面又は電磁的記録

によりその連鎖販売契約の解除を行うことができる。この場合において，その連鎖販売業を行う者は，その連鎖販売契約の解除に伴う損害賠償又は違約金の支払を請求することができない。

2～4　略

消費者契約法

(目的)
第1条　この法律は，消費者と事業者との間の情報の質及び量並びに交渉力の格差に鑑み，事業者の一定の行為により消費者が誤認し，又は困惑した場合等について契約の申込み又はその承諾の意思表示を取り消すことができることとするとともに，事業者の損害賠償の責任を免除する条項その他の消費者の利益を不当に害することとなる条項の全部又は一部を無効とするほか，消費者の被害の発生又は拡大を防止するため適格消費者団体が事業者等に対し差止請求をすることができることとすることにより，消費者の利益の擁護を図り，もって国民生活の安定向上と国民経済の健全な発展に寄与することを目的とする。

(定義)
第2条　この法律において「消費者」とは，個人をいう。

2　この法律において「事業者」とは，法人その他の団体及び事業として又は事業のために契約の当事者となる場合における個人をいう。

3　この法律において「消費者契約」とは，消費者と事業者との間で締結される契約をいう。

4　略

(消費者契約の申込み又はその承諾の意思表示の取消し)
第4条　消費者は，事業者が消費者契約の締結について勧誘をするに際し，当該消費者に対して次の各号に掲げる行為をしたことにより当該各号に定める誤認をし，それによって当該消費者契約の申込み又はその承諾の意思表示をしたときは，これを取り消すことができる。

一　重要事項について事実と異なることを告げること。当該告げられた内容が事実であるとの誤認

二　略

2　消費者は，事業者が消費者契約の締結について勧誘をするに際し，当該消費者に対してある重要事項又は当該重要事項に関連する事項について当該消費者の利益となる旨を告げ，かつ，当該重要事項について当該消費者の不利益となる事実（当該告知により当該事実が存在しないと消費者が通常考えるべきものに限る。）を故意又は重大な過失によって告げなかったことにより，当該事実が存在しないとの誤認をし，それによって当該消費者契約の申込み又はその承諾の意思表示をしたときは，これを取り消すことができる。ただし，当該事業者が当該消費者に対し当該事実を告げようとしたにもかかわらず，当該消費者がこれを拒んだときは，この限りでない。

3　略

自動車損害賠償保障法

(責任保険又は責任共済の契約の締結強制)
第5条　自動車は，これについてこの法律で定める自動車損害賠償責任保険又は自動車損害賠償責任共済の契約が締結されているものでなければ，運行の用に供してはならない。

第86条の3　次の各号のいずれかに該当する者は，1年以下の懲役又は50万円以下の罰金に処する。

一　第5条の規定に違反した者

二・三　略

道路交通法

（共同危険行為等の禁止）

第68条 2人以上の自動車又は原動機付自転車の運転者は，道路において2台以上の自動車又は原動機付自転車を連ねて通行させ，又は並進させる場合において，共同して，著しく道路における交通の危険を生じさせ，又は著しく他人に迷惑を及ぼすこととなる行為をしてはならない。

（交通事故の場合の措置）

第72条 交通事故があつたときは，当該交通事故に係る車両等の運転者その他の乗務員は，直ちに車両等の運転を停止して，負傷者を救護し，道路における危険を防止する等必要な措置を講じなければならない。この場合において，当該車両等の運転者は，警察官が現場にいるときは当該警察官に，警察官が現場にいないときは直ちに最寄りの警察署の警察官に当該交通事故が発生した日時及び場所，当該交通事故における死傷者の数及び負傷者の負傷の程度並びに損壊した物及びその損壊の程度，当該交通事故に係る車両等の積載物並びに当該交通事故について講じた措置を報告しなければならない。

2～4　略

第117条　車両等の運転者が，当該車両等の交通による人の死傷があつた場合において，第72条第1項前段の規定に違反したときは，5年以下の懲役又は50万円以下の罰金に処する。

2　略

第117条の3　第68条の規定に違反した者は，2年以下の懲役又は50万円以下の罰金に処する。

第117条の5　次の各号のいずれかに該当する者は，1年以下の懲役又は10万円以下の罰金に処する。

一　第72条第1項前段の規定に違反した者
二　略

自動車運転死傷行為処罰法

（危険運転致死傷）

第2条　次に掲げる行為を行い，よつて，人を負傷させた者は15年以下の懲役に処し，人を死亡させた者は1年以上の有期懲役に処する。

一　アルコール又は薬物の影響により正常な運転が困難な状態で自動車を走行させる行為

二　その進行を制御することが困難な高速度で自動車を走行させる行為

三　その進行を制御する技能を有しないで自動車を走行させる行為

四　人又は車の通行を妨害する目的で，走行中の自動車の直前に進入し，その他通行中の人又は車に著しく接近し，かつ，重大な交通の危険を生じさせる速度で自動車を運転する行為

五　車の通行を妨害する目的で，走行中の車（重大な交通の危険が生じることとなる速度で走行中のものに限る。）の前方で停止し，その他これに著しく接近することとなる方法で自動車を運転する行為

六　高速自動車国道又は自動車専用道路において，自動車の通行を妨害する目的で，走行中の自動車の前方で停止し，その他これに著しく接近することとなる方法で自動車を運転することにより，走行中の自動車に停止又は徐行をさせる行為

七　赤色信号又はこれに相当する信号を殊更に無視し，かつ，重大な交通の危険を生じさせる速度で自動車を運転する行為

八　通行禁止道路を進行し，かつ，重大な交通の危険を生じさせる速度で自動車を運転する行為

刑　法

(過失傷害)
第209条　過失により人を傷害した者は，30万円以下の罰金又は科料に処する。
２　前項の罪は，告訴がなければ公訴を提起することができない。

(過失致死)
第210条　過失により人を死亡させた者は，50万円以下の罰金に処する。

(業務上過失致死傷等)
第211条　業務上必要な注意を怠り，よって人を死傷させた者は，5年以下の懲役若しくは禁錮又は100万円以下の罰金に処する。重大な過失により人を死傷させた者も，同様とする。

(窃盗)
第235条　他人の財物を窃取した者は，窃盗の罪とし，10年以下の懲役又は50万円以下の罰金に処する。

刑事訴訟法

第30条　被告人又は被疑者は，何時でも弁護人を選任することができる。
２　略

第199条　検察官，検察事務官又は司法警察職員は，被疑者が罪を犯したことを疑うに足りる相当な理由があるときは，裁判官のあらかじめ発する逮捕状により，これを逮捕することができる。(以下略)
２　裁判官は，被疑者が罪を犯したことを疑うに足りる相当な理由があると認めるときは，検察官又は司法警察員の請求により，前項の逮捕状を発する。但し，明らかに逮捕の必要がないと認めるときは，この限りでない。
３　略

第203条　司法警察員は，逮捕状により被疑者を逮捕したとき，又は逮捕状により逮捕された被疑者を受け取つたときは，直ちに犯罪事実の要旨及び弁護人を選任することができる旨を告げた上，弁解の機会を与え，留置の必要がないと思料するときは直ちにこれを釈放し，留置の必要があると思料するときは被疑者が身体を拘束された時から48時間以内に書類及び証拠物とともにこれを検察官に送致する手続をしなければならない。
２～４　略
５　第1項の時間の制限内に送致の手続をしないときは，直ちに被疑者を釈放しなければならない。

第204条　検察官は，逮捕状により被疑者を逮捕したとき，又は逮捕状により逮捕された被疑者(前条の規定により送致された被疑者を除く。)を受け取つたときは，直ちに犯罪事実の要旨及び弁護人を選任することができる旨を告げた上，弁解の機会を与え，留置の必要がないと思料するときは直ちにこれを釈放し，留置の必要があると思料するときは被疑者が身体を拘束された時から48時間以内に裁判官に被疑者の勾留を請求しなければならない。但し，その時間の制限内に公訴を提起したときは，勾留の請求をすることを要しない。
２・３　略
４　第1項の時間の制限内に勾留の請求又は公訴の提起をしないときは，直ちに被疑者を釈放しなければならない。
５　略

第205条　検察官は，第203条の規定により送致された被疑者を受け取つたときは，弁解の機会を与え，留置の必要がないと思料するときは直ちにこれを釈放し，留置の必要があると思料するときは被疑者を受け取つた時から24時間以内に裁判官に被疑者の勾留を請求しなければならない。

2　前項の時間の制限は、被疑者が身体を拘束された時から72時間を超えることができない。
3　前2項の時間の制限内に公訴を提起したときは、勾留の請求をすることを要しない。
4　第1項及び第2項の時間の制限内に勾留の請求又は公訴の提起をしないときは、直ちに被疑者を釈放しなければならない。

第208条　前条の規定により被疑者を勾留した事件につき、勾留の請求をした日から10日以内に公訴を提起しないときは、検察官は、直ちに被疑者を釈放しなければならない。
2　裁判官は、やむを得ない事由があると認めるときは、検察官の請求により、前項の期間を延長することができる。この期間の延長は、通じて10日を超えることができない。

第212条　現に罪を行い、又は現に罪を行い終つた者を現行犯人とする。
2　左の各号の一にあたる者が、罪を行い終つてから間がないと明らかに認められるときは、これを現行犯人とみなす。
　一　犯人として追呼されているとき。
　二　贓物又は明らかに犯罪の用に供したと思われる兇器その他の物を所持しているとき。
　三　身体又は被服に犯罪の顕著な証跡があるとき。
　四　誰何されて逃走しようとするとき。

第213条　現行犯人は、何人でも、逮捕状なくしてこれを逮捕することができる。

第248条　犯人の性格、年齢及び境遇、犯罪の軽重及び情状並びに犯罪後の情況により訴追を必要としないときは、公訴を提起しないことができる。

第311条　被告人は、終始沈黙し、又は個々の質問に対し、供述を拒むことができる。
2・3　略

第317条　事実の認定は、証拠による。

第320条　第321条乃至第328条に規定する場合を除いては、公判期日における供述に代えて書面を証拠とし、又は公判期日外における他の者の供述を内容とする供述を証拠とすることはできない。
2　第291条の2の決定があつた事件の証拠については、前項の規定は、これを適用しない。但し、検察官、被告人又は弁護人が証拠とすることに異議を述べたものについては、この限りでない。

第336条　被告事件が罪とならないとき、又は被告事件について犯罪の証明がないときは、判決で無罪の言渡をしなければならない。

著作権法

(目的)
第1条　この法律は、著作物並びに実演、レコード、放送及び有線放送に関し著作者の権利及びこれに隣接する権利を定め、これらの文化的所産の公正な利用に留意しつつ、著作者等の権利の保護を図り、もつて文化の発展に寄与することを目的とする。

(定義)
第2条　この法律において、次の各号に掲げる用語の意義は、当該各号に定めるところによる。
　一　著作物　思想又は感情を創作的に表現したものであつて、文芸、学術、美術又は音楽の範囲に属するものをいう。
　二　著作者　著作物を創作する者をいう。
　三～九の五　略
2　略

(著作者の権利)
第17条　著作者は、次条第1項、第19条第1項及び第20条第1項に規定する権利(以下「著作者人格権」という。)並びに第21条から第28条までに規定する権利(以下「著作権」という。)を享有する。

2　著作者人格権及び著作権の享有には、いかなる方式の履行をも要しない。

(私的使用のための複製)

第30条　著作権の目的となつている著作物は、個人的に又は家庭内その他これに準ずる限られた範囲内において使用することを目的とするときは、次に掲げる場合を除き、その使用する者が複製することができる。

一　公衆の使用に供することを目的として設置されている自動複製機器（複製の機能を有し、これに関する装置の全部又は主要な部分が自動化されている機器をいう。）を用いて複製する場合

二　略

三　著作権を侵害する自動公衆送信（国外で行われる自動公衆送信であつて、国内で行われたとしたならば著作権の侵害となるべきものを含む。）を受信して行うデジタル方式の録音又は録画を、特定侵害録音録画であることを知りながら行う場合

四　略

2・3　略

(保護期間の原則)

第51条　著作権の存続期間は、著作物の創作の時に始まる。

2　著作権は、この節に別段の定めがある場合を除き、著作者の死後（共同著作物にあつては、最終に死亡した著作者の死後。次条第1項において同じ。）70年を経過するまでの間、存続する。

第119条　著作権、出版権又は著作隣接権を侵害した者（第30条第1項に定める私的使用の目的をもつて自ら著作物若しくは実演等の複製を行つた者……略……を除く。）は、10年以下の懲役若しくは1000万円以下の罰金に処し、又はこれを併科する。

2　次の各号のいずれかに該当する者は、5年以下の懲役若しくは500万円以下の罰金に処し、又はこれを併科する。

一　著作者人格権又は実演家人格権を侵害した者

二　営利を目的として、第30条第1項第一号に規定する自動複製機器を著作権、出版権又は著作隣接権の侵害となる著作物又は実演等の複製に使用させた者

三～六　略

3～5　略

特許法

(目的)

第1条　この法律は、発明の保護及び利用を図ることにより、発明を奨励し、もつて産業の発達に寄与することを目的とする。

(定義)

第2条　この法律で「発明」とは、自然法則を利用した技術的思想の創作のうち高度のものをいう。

2～4　略

(特許権の設定の登録)

第66条　特許権は、設定の登録により発生する。

2～4　略

商標法

(目的)

第1条　この法律は、商標を保護することにより、商標の使用をする者の業務上の信用の維持を図り、もつて産業の発達に寄与し、あわせて需要者の利益を保護することを目的とする。

(定義等)

第2条　この法律で「商標」とは、人の知覚によつて認識することができるもののうち、文字、図形、記号、立体的形状若しくは色彩又

はこれらの結合，音その他政令で定めるもの（以下「標章」という。）であつて，次に掲げるものをいう。

一　業として商品を生産し，証明し，又は譲渡する者がその商品について使用をするもの

二　業として役務を提供し，又は証明する者がその役務について使用をするもの（前号に掲げるものを除く。）

2～6　略

（商標登録の要件）

第3条　自己の業務に係る商品又は役務について使用をする商標については，次に掲げる商標を除き，商標登録を受けることができる。

一～六　略

（商標権の設定の登録）

第18条　商標権は，設定の登録により発生する。

2～5　略

（侵害の罪）

第78条　商標権又は専用使用権を侵害した者は，10年以下の懲役若しくは1000万円以下の罰金に処し，又はこれを併科する。

意匠法

（目的）

第1条　この法律は，意匠の保護及び利用を図ることにより，意匠の創作を奨励し，もつて産業の発達に寄与することを目的とする。

（定義等）

第2条　この法律で「意匠」とは，物品の形状，模様若しくは色彩若しくはこれらの結合，建築物の形状等又は画像であつて，視覚を通じて美感を起こさせるものをいう。

2　略

3　この法律で「登録意匠」とは，意匠登録を受けている意匠をいう。

不正競争防止法

（目的）

第1条　この法律は，事業者間の公正な競争及びこれに関する国際約束の的確な実施を確保するため，不正競争の防止及び不正競争に係る損害賠償に関する措置等を講じ，もつて国民経済の健全な発展に寄与することを目的とする。

（定義）

第2条　この法律において「不正競争」とは，次に掲げるものをいう。

一　他人の商品等表示として需要者の間に広く認識されているものと同一若しくは類似の商品等表示を使用し，又はその商品等表示を使用した商品を譲渡し，引き渡し，譲渡若しくは引渡しのために展示し，輸出し，輸入し，若しくは電気通信回線を通じて提供して，他人の商品又は営業と混同を生じさせる行為

二　自己の商品等表示として他人の著名な商品等表示と同一若しくは類似のものを使用し，又はその商品等表示を使用した商品を譲渡し，引き渡し，譲渡若しくは引渡しのために展示し，輸出し，輸入し，若しくは電気通信回線を通じて提供する行為

三　他人の商品の形態を模倣した商品を譲渡し，貸し渡し，譲渡若しくは貸渡しのために展示し，輸出し，又は輸入する行為

四～二十二　略

2～11　略

労働基準法

（労働条件の原則）

第1条　労働条件は，労働者が人たるに値する生活を営むための必要を充たすべきもので

ければならない。

2 この法律で定める労働条件の基準は最低のものであるから，労働関係の当事者は，この基準を理由として労働条件を低下させてはならないことはもとより，その向上を図るように努めなければならない。

（労働条件の決定）

第2条 労働条件は，労働者と使用者が，対等の立場において決定すべきものである。

2 労働者及び使用者は，労働協約，就業規則及び労働契約を遵守し，誠実に各々その義務を履行しなければならない。

（定義）

第9条 この法律で「労働者」とは，職業の種類を問わず，事業又は事務所に使用される者で，賃金を支払われる者をいう。

（この法律違反の契約）

第13条 この法律で定める基準に達しない労働条件を定める労働契約は，その部分については無効とする。この場合において，無効となつた部分は，この法律で定める基準による。

（労働条件の明示）

第15条 使用者は，労働契約の締結に際し，労働者に対して賃金，労働時間その他の労働条件を明示しなければならない。（以下略）

2 前項の規定によつて明示された労働条件が事実と相違する場合においては，労働者は，即時に労働契約を解除することができる。

3 略

（賠償予定の禁止）

第16条 使用者は，労働契約の不履行について違約金を定め，又は損害賠償額を予定する契約をしてはならない。

（解雇の予告）

第20条 使用者は，労働者を解雇しようとする場合においては，少なくとも30日前にその予告をしなければならない。30日前に予告をしない使用者は，30日分以上の平均賃金を支払わなければならない。但し，天災事変その他やむを得ない事由のために事業の継続が不可能となつた場合又は労働者の責に帰すべき事由に基いて解雇する場合においては，この限りでない。

2・3 略

（賃金の支払）

第24条 賃金は，通貨で，直接労働者に，その全額を支払わなければならない。（以下略）

2 略

（労働時間）

第32条 使用者は，労働者に，休憩時間を除き1週間について40時間を超えて，労働させてはならない。

2 使用者は，1週間の各日については，労働者に，休憩時間を除き1日について8時間を超えて，労働させてはならない。

（年次有給休暇）

第39条 使用者は，その雇入れの日から起算して6箇月間継続勤務し全労働日の8割以上出勤した労働者に対して，継続し，又は分割した10労働日の有給休暇を与えなければならない。

2〜10 略

（最低年齢）

第56条 使用者は，児童が満15歳に達した日以後の最初の3月31日が終了するまで，これを使用してはならない。

2 略

（深夜業）

第61条 使用者は，満18歳に満たない者を午後10時から午前5時までの間において使用してはならない。ただし，交替制によつて使用する満16歳以上の男性については，この限りでない。

2〜5 略

労働安全衛生法

(事業者等の責務)

第3条 事業者は，単にこの法律で定める労働災害の防止のための最低基準を守るだけでなく，快適な職場環境の実現と労働条件の改善を通じて職場における労働者の安全と健康を確保するようにしなければならない。また，事業者は，国が実施する労働災害の防止に関する施策に協力するようにしなければならない。

2・3 略

最低賃金法

(最低賃金の効力)

第4条 使用者は，最低賃金の適用を受ける労働者に対し，その最低賃金額以上の賃金を支払わなければならない。

2 最低賃金の適用を受ける労働者と使用者との間の労働契約で最低賃金額に達しない賃金を定めるものは，その部分については無効とする。この場合において，無効となつた部分は，最低賃金と同様の定をしたものとみなす。

3・4 略

第40条 第4条第1項の規定に違反した者(地域別最低賃金及び船員に適用される特定最低賃金に係るものに限る。)は，50万円以下の罰金に処する。

男女雇用機会均等法

(目的)

第1条 この法律は，法の下の平等を保障する日本国憲法の理念にのつとり雇用の分野における男女の均等な機会及び待遇の確保を図るとともに，女性労働者の就業に関して妊娠中及び出産後の健康の確保を図る等の措置を推進することを目的とする。

(基本的理念)

第2条 この法律においては，労働者が性別により差別されることなく，また，女性労働者にあつては母性を尊重されつつ，充実した職業生活を営むことができるようにすることをその基本的理念とする。

2 事業主並びに国及び地方公共団体は，前項に規定する基本的理念に従つて，労働者の職業生活の充実が図られるように努めなければならない。

(職場における性的な言動に起因する問題に関する雇用管理上の措置等)

第11条 事業主は，職場において行われる性的な言動に対するその雇用する労働者の対応により当該労働者がその労働条件につき不利益を受け，又は当該性的な言動により当該労働者の就業環境が害されることのないよう，当該労働者からの相談に応じ，適切に対応するために必要な体制の整備その他の雇用管理上必要な措置を講じなければならない。

2 事業主は，労働者が前項の相談を行つたこと又は事業主による当該相談への対応に協力した際に事実を述べたことを理由として，当該労働者に対して解雇その他不利益な取扱いをしてはならない。

3 事業主は，他の事業主から当該事業主の講ずる第1項の措置の実施に関し必要な協力を求められた場合には，これに応ずるように努めなければならない。

4 厚生労働大臣は，前3項の規定に基づき事業主が講ずべき措置等に関して，その適切かつ有効な実施を図るために必要な指針を定めるものとする。

5 略

労働契約法

（目的）
第1条　この法律は，労働者及び使用者の自主的な交渉の下で，労働契約が合意により成立し，又は変更されるという合意の原則その他労働契約に関する基本的事項を定めることにより，合理的な労働条件の決定又は変更が円滑に行われるようにすることを通じて，労働者の保護を図りつつ，個別の労働関係の安定に資することを目的とする。

（労働契約の原則）
第3条　労働契約は，労働者及び使用者が対等の立場における合意に基づいて締結し，又は変更すべきものとする。
2　労働契約は，労働者及び使用者が，就業の実態に応じて，均衡を考慮しつつ締結し，又は変更すべきものとする。
3～5　略

（労働契約の成立）
第6条　労働契約は，労働者が使用者に使用されて労働し，使用者がこれに対して賃金を支払うことについて，労働者及び使用者が合意することによって成立する。

（解雇）
第16条　解雇は，客観的に合理的な理由を欠き，社会通念上相当であると認められない場合は，その権利を濫用したものとして，無効とする。

少年法

（この法律の目的）
第1条　この法律は，少年の健全な育成を期し，非行のある少年に対して性格の矯正及び環境の調整に関する保護処分を行うとともに，少年の刑事事件について特別の措置を講ずることを目的とする。

（定義）
第2条　この法律において「少年」とは，20歳に満たない者をいう。
2　この法律において「保護者」とは，少年に対して法律上監護教育の義務ある者及び少年を現に監護する者をいう。

（審判に付すべき少年）
第3条　次に掲げる少年は，これを家庭裁判所の審判に付する。
一　罪を犯した少年
二　14歳に満たないで刑罰法令に触れる行為をした少年
三　次に掲げる事由があつて，その性格又は環境に照して，将来，罪を犯し，又は刑罰法令に触れる行為をする虞のある少年
イ　保護者の正当な監督に服しない性癖のあること。
ロ　正当の理由がなく家庭に寄り附かないこと。
ハ　犯罪性のある人若しくは不道徳な人と交際し，又はいかがわしい場所に出入すること。
ニ　自己又は他人の徳性を害する行為をする性癖のあること。
2　略

（付添人）
第10条　少年並びにその保護者，法定代理人，保佐人，配偶者，直系の親族及び兄弟姉妹は，家庭裁判所の許可を受けて，付添人を選任することができる。ただし，弁護士を付添人に選任するには，家庭裁判所の許可を要しない。
2　略

（観護の措置）
第17条　家庭裁判所は，審判を行うため必要があるときは，決定をもつて，次に掲げる観護の措置をとることができる。
一　家庭裁判所調査官の観護に付すること。
二　少年鑑別所に送致すること。

2 略

3 第1項第二号の措置においては，少年鑑別所に収容する期間は，2週間を超えることができない。ただし，特に継続の必要があるときは，決定をもつて，これを更新することができる。

4 前項ただし書の規定による更新は，1回を超えて行うことができない。ただし，第3条第1項第一号に掲げる少年に係る死刑，懲役又は禁錮に当たる罪の事件でその非行事実の認定に関し証人尋問，鑑定若しくは検証を行うことを決定したもの又はこれを行つたものについて，少年を収容しなければ審判に著しい支障が生じるおそれがあると認めるに足りる相当の理由がある場合には，その更新は，更に2回を限度として，行うことができる。

5～10 略

（検察官への送致）

第20条 家庭裁判所は，死刑，懲役又は禁錮に当たる罪の事件について，調査の結果，その罪質及び情状に照らして刑事処分を相当と認めるときは，決定をもつて，これを管轄地方裁判所に対応する検察庁の検察官に送致しなければならない。

2 前項の規定にかかわらず，家庭裁判所は，故意の犯罪行為により被害者を死亡させた罪の事件であつて，その罪を犯すとき16歳以上の少年に係るものについては，同項の決定をしなければならない。ただし，調査の結果，犯行の動機及び態様，犯行後の情況，少年の性格，年齢，行状及び環境その他の事情を考慮し，刑事処分以外の措置を相当と認めるときは，この限りでない。

（保護処分の決定）

第24条 家庭裁判所は，前条の場合を除いて，審判を開始した事件につき，決定をもつて，次に掲げる保護処分をしなければならない。ただし，決定の時に14歳に満たない少年に係る事件については，特に必要と認める場合に限り，第三号の保護処分をすることができる。

一 保護観察所の保護観察に付すること。
二 児童自立支援施設又は児童養護施設に送致すること。
三 少年院に送致すること。

2 略

（家庭裁判所調査官の観察）

第25条 家庭裁判所は，第24条第1項の保護処分を決定するため必要があると認めるときは，決定をもつて，相当の期間，家庭裁判所調査官の観察に付することができる。

2 略

（勾留に代る措置）

第43条 検察官は，少年の被疑事件においては，裁判官に対して，勾留の請求に代え，第17条第1項の措置を請求することができる。但し，第17条第1項第一号の措置は，家庭裁判所の裁判官に対して，これを請求しなければならない。

2 略

3 検察官は，少年の被疑事件においては，やむを得ない場合でなければ，裁判官に対して，勾留を請求することはできない。

（記事等の掲載の禁止）

第61条 家庭裁判所の審判に付された少年又は少年のとき犯した罪により公訴を提起された者については，氏名，年齢，職業，住居，容ほう等によりその者が当該事件の本人であることを推知することができるような記事又は写真を新聞紙その他の出版物に掲載してはならない。

（検察官への送致についての特例）

第62条 家庭裁判所は，特定少年（18歳以上の少年をいう。以下同じ。）に係る事件については，第20条の規定にかかわらず，調査の結果，その罪質及び情状に照らして刑事処分を相当と認めるときは，決定をもつて，これを管轄地方裁判所に対応する検察庁の検察

官に送致しなければならない。
2　略

(記事等の掲載の禁止の特例)
第68条　第61条の規定は，特定少年のとき犯した罪により公訴を提起された場合における同条の記事又は写真については，適用しない。ただし，当該罪に係る事件について刑事訴訟法第461条の請求がされた場合は，この限りでない。

少年院法

(目的)
第1条　この法律は，少年院の適正な管理運営を図るとともに，在院者の人権を尊重しつつ，その特性に応じた適切な矯正教育その他の在院者の健全な育成に資する処遇を行うことにより，在院者の改善更生及び円滑な社会復帰を図ることを目的とする。

(少年院)
第3条　少年院は，次に掲げる者を収容し，これらの者に対し矯正教育その他の必要な処遇を行う施設とする。
一　保護処分の執行を受ける者
二　少年院において懲役又は禁錮の刑の執行を受ける者

(少年院の種類)
第4条　少年院の種類は，次の各号に掲げるとおりとし，それぞれ当該各号に定める者を収容するものとする。
一　第一種　保護処分の執行を受ける者であって，心身に著しい障害がないおおむね12歳以上23歳未満のもの(次号に定める者を除く。)
二　第二種　保護処分の執行を受ける者であって，心身に著しい障害がない犯罪的傾向が進んだおおむね16歳以上23歳未満のもの

三　第三種　保護処分の執行を受ける者であって，心身に著しい障害があるおおむね12歳以上26歳未満のもの
四　第四種　少年院において刑の執行を受ける者
五　略
2　法務大臣は，各少年院について，一又は二以上の前項各号に掲げる少年院の種類を指定する。

DV防止法

(定義)
第1条　この法律において「配偶者からの暴力」とは，配偶者からの身体に対する暴力(身体に対する不法な攻撃であって生命又は身体に危害を及ぼすものをいう。以下同じ。)又はこれに準ずる心身に有害な影響を及ぼす言動をいい，配偶者からの身体に対する暴力等を受けた後に，その者が離婚をし，又はその婚姻が取り消された場合にあっては，当該配偶者であった者から引き続き受ける身体に対する暴力等を含むものとする。
2　略
3　この法律にいう「配偶者」には，婚姻の届出をしていないが事実上婚姻関係と同様の事情にある者を含み，「離婚」には，婚姻の届出をしていないが事実上婚姻関係と同様の事情にあった者が，事実上離婚したと同様の事情に入ることを含むものとする。

(警察官による被害の防止)
第8条　警察官は，通報等により配偶者からの暴力が行われていると認めるときは，警察法，警察官職務執行法その他の法令の定めるところにより，暴力の制止，被害者の保護その他の配偶者からの暴力による被害の発生を防止するために必要な措置を講ずるよう努めなければならない。

（保護命令）
第10条　被害者が，配偶者からの身体に対する暴力を受けた者である場合にあっては配偶者からの更なる身体に対する暴力により，配偶者からの生命等に対する脅迫を受けた者である場合にあっては配偶者から受ける身体に対する暴力により，その生命又は身体に重大な危害を受けるおそれが大きいときは，裁判所は，被害者の申立てにより，その生命又は身体に危害が加えられることを防止するため，当該配偶者に対し，次の各号に掲げる事項を命ずるものとする。ただし，第二号に掲げる事項については，申立ての時において被害者及び当該配偶者が生活の本拠を共にする場合に限る。
　一　命令の効力が生じた日から起算して6月間，被害者の住居その他の場所において被害者の身辺につきまとい，又は被害者の住居，勤務先その他その通常所在する場所の付近をはいかいしてはならないこと。
　二　命令の効力が生じた日から起算して2月間，被害者と共に生活の本拠としている住居から退去すること及び当該住居の付近をはいかいしてはならないこと。
2〜5　略

（保護命令の申立て）
第12条　第10条第1項から第4項までの規定による命令の申立ては，次に掲げる事項を記載した書面でしなければならない。
　一　配偶者からの身体に対する暴力又は生命等に対する脅迫を受けた状況
　二　配偶者からの更なる身体に対する暴力又は配偶者からの生命等に対する脅迫を受けた後の配偶者から受ける身体に対する暴力により，生命又は身体に重大な危害を受けるおそれが大きいと認めるに足りる申立ての時における事情
　三〜五　略
2　略

児童虐待防止法

（目的）
第1条　この法律は，児童虐待が児童の人権を著しく侵害し，その心身の成長及び人格の形成に重大な影響を与えるとともに，我が国における将来の世代の育成にも懸念(けねん)を及ぼすことにかんがみ，児童に対する虐待の禁止，児童虐待の予防及び早期発見その他の児童虐待の防止に関する国及び地方公共団体の責務，児童虐待を受けた児童の保護及び自立の支援のための措置等を定めることにより，児童虐待の防止等に関する施策を促進し，もって児童の権利利益の擁護に資することを目的とする。

（児童虐待の定義）
第2条　この法律において，「児童虐待」とは，保護者（親権を行う者，未成年後見人その他の者で，児童を現に監護するものをいう。以下同じ。）がその監護する児童（18歳に満たない者をいう。以下同じ。）について行う次に掲げる行為をいう。
　一　児童の身体に外傷が生じ，又は生じるおそれのある暴行を加えること。
　二　児童にわいせつな行為をすること又は児童をしてわいせつな行為をさせること。
　三　児童の心身の正常な発達を妨げるような著しい減食又は長時間の放置，保護者以外の同居人による前二号又は次号に掲げる行為と同様の行為の放置その他の保護者としての監護を著しく怠ること。
　四　児童に対する著しい暴言又は著しく拒絶的な対応，児童が同居する家庭における配偶者に対する暴力（配偶者（婚姻の届出をしていないが，事実上婚姻関係と同様の事情にある者を含む。）の身体に対する不法な攻撃であって生命又は身体に危害を及ぼすもの及びこれに準ずる心身に有害な影響

を及ぼす言動をいう。）その他の児童に著しい心理的外傷を与える言動を行うこと。

（児童に対する虐待の禁止）

第3条 何人も，児童に対し，虐待をしてはならない。

（児童虐待の早期発見等）

第5条 学校，児童福祉施設，病院，都道府県警察，婦人相談所，教育委員会，配偶者暴力相談支援センターその他児童の福祉に業務上関係のある団体及び学校の教職員，児童福祉施設の職員，医師，歯科医師，保健師，助産師，看護師，弁護士，警察官，婦人相談員その他児童の福祉に職務上関係のある者は，児童虐待を発見しやすい立場にあることを自覚し，児童虐待の早期発見に努めなければならない。

2～5 略

（児童虐待に係る通告）

第6条 児童虐待を受けたと思われる児童を発見した者は，速やかに，これを市町村，都道府県の設置する福祉事務所若しくは児童相談所又は児童委員を介して市町村，都道府県の設置する福祉事務所若しくは児童相談所に通告しなければならない。

2・3 略

（立入調査等）

第9条 都道府県知事は，児童虐待が行われているおそれがあると認めるときは，児童委員又は児童の福祉に関する事務に従事する職員をして，児童の住所又は居所に立ち入り，必要な調査又は質問をさせることができる。この場合においては，その身分を証明する証票を携帯させ，関係者の請求があったときは，これを提示させなければならない。

2・3 略

（児童虐待を行った保護者に対する指導等）

第11条 都道府県知事又は児童相談所長は，児童虐待を行った保護者について児童福祉法第27条第1項第二号又は第26条第1項第二号の規定により指導を行う場合は，当該保護者について，児童虐待の再発を防止するため，医学的又は心理学的知見に基づく指導を行うよう努めるものとする。

2～7 略

（親権の行使に関する配慮等）

第14条 児童の親権を行う者は，児童のしつけに際して，体罰を加えることその他民法第820条の規定による監護及び教育に必要な範囲を超える行為により当該児童を懲戒してはならず，当該児童の親権の適切な行使に配慮しなければならない。

2 児童の親権を行う者は，児童虐待に係る暴行罪，傷害罪その他の犯罪について，当該児童の親権を行う者であることを理由として，その責めを免れることはない。

児童福祉法

第1条 全て児童は，児童の権利に関する条約の精神にのっとり，適切に養育されること，その生活を保障されること，愛され，保護されること，その心身の健やかな成長及び発達並びにその自立が図られることその他の福祉を等しく保障される権利を有する。

第2条 全て国民は，児童が良好な環境において生まれ，かつ，社会のあらゆる分野において，児童の年齢及び発達の程度に応じて，その意見が尊重され，その最善の利益が優先して考慮され，心身ともに健やかに育成されるよう努めなければならない。

2 児童の保護者は，児童を心身ともに健やかに育成することについて第一義的責任を負う。

3 国及び地方公共団体は，児童の保護者とともに，児童を心身ともに健やかに育成する責任を負う。

第3条　前2条に規定するところは，児童の福祉を保障するための原理であり，この原理は，すべて児童に関する法令の施行にあたつて，常に尊重されなければならない。

第4条　この法律で，児童とは，満18歳に満たない者をいい，児童を左のように分ける。
　一　乳児　満1歳に満たない者
　二　幼児　満1歳から，小学校就学の始期に達するまでの者
　三　少年　小学校就学の始期から，満18歳に達するまでの者
2　略

第12条　都道府県は，児童相談所を設置しなければならない。
2～7　略

第27条　都道府県は，第26条第1項第一号の規定による報告又は少年法第18条第2項の規定による送致のあつた児童につき，次の各号のいずれかの措置を採らなければならない。
　一・二　略
　三　児童を小規模住居型児童養育事業を行う者若しくは里親に委託し，又は乳児院，児童養護施設，障害児入所施設，児童心理治療施設若しくは児童自立支援施設に入所させること。
　四　略
2・3　略
4　第1項第三号又は第2項の措置は，児童に親権を行う者又は未成年後見人があるときは，前項の場合を除いては，その親権を行う者又は未成年後見人の意に反して，これを採ることができない。
5・6　略

第28条　保護者が，その児童を虐待し，著しくその監護を怠り，その他保護者に監護させることが著しく当該児童の福祉を害する場合において，第27条第1項第三号の措置を採ることが児童の親権を行う者又は未成年後見人の意に反するときは，都道府県は，次の各号の措置を採ることができる。
　一　保護者が親権を行う者又は未成年後見人であるときは，家庭裁判所の承認を得て，第27条第1項第三号の措置を採ること。
　二　略
2～8　略

第33条　児童相談所長は，必要があると認めるときは，第26条第1項の措置を採るに至るまで，児童の安全を迅速に確保し適切な保護を図るため，又は児童の心身の状況，その置かれている環境その他の状況を把握するため，児童の一時保護を行い，又は適当な者に委託して，当該一時保護を行わせることができる。

2　都道府県知事は，必要があると認めるときは，第27条第1項又は第2項の措置を採るに至るまで，児童の安全を迅速に確保し適切な保護を図るため，又は児童の心身の状況，その置かれている環境その他の状況を把握するため，児童相談所長をして，児童の一時保護を行わせ，又は適当な者に当該一時保護を行うことを委託させることができる。

3　前2項の規定による一時保護の期間は，当該一時保護を開始した日から2月を超えてはならない。

4～12　略

裁判員の参加する刑事裁判に関する法律（裁判員法）

(趣旨)

第1条　この法律は，国民の中から選任された裁判員が裁判官と共に刑事訴訟手続に関与することが司法に対する国民の理解の増進とその信頼の向上に資することにかんがみ，裁判員の参加する刑事裁判に関し，裁判所法及び刑事訴訟法の特則その他の必要な事項を定めるものとする。

（対象事件及び合議体の構成）
第 2 条　地方裁判所は，次に掲げる事件については，第 3 条又は第 3 条の 2 の決定があった場合を除き，この法律の定めるところにより裁判員の参加する合議体が構成された後は，裁判所法第 26 条の規定にかかわらず，裁判員の参加する合議体でこれを取り扱う。
　一　死刑又は無期の懲役若しくは禁錮に当たる罪に係る事件
　二　裁判所法第 26 条第 2 項第二号に掲げる事件であって，故意の犯罪行為により被害者を死亡させた罪に係るもの（前号に該当するものを除く。）
　2　前項の合議体の裁判官の員数は 3 人，裁判員の員数は 6 人とし，裁判官のうち 1 人を裁判長とする。ただし，次項の決定があったときは，裁判官の員数は 1 人，裁判員の員数は 4 人とし，裁判官を裁判長とする。
　3〜7　略
（裁判員の職権行使の独立）
第 8 条　裁判員は，独立してその職権を行う。
（裁判員の義務）
第 9 条　裁判員は，法令に従い公平誠実にその職務を行わなければならない。
　2　裁判員は，第 70 条第 1 項に規定する評議の秘密その他の職務上知り得た秘密を漏らしてはならない。
　3　裁判員は，裁判の公正に対する信頼を損なうおそれのある行為をしてはならない。
　4　裁判員は，その品位を害するような行為をしてはならない。
（裁判員の選任資格）
第 13 条　裁判員は，衆議院議員の選挙権を有する者の中から，この節の定めるところにより，選任するものとする。
（証人等に対する尋問）
第 56 条　裁判所が証人その他の者を尋問する場合には，裁判員は，裁判長に告げて，裁判員の関与する判断に必要な事項について尋問することができる。
（被告人に対する質問）
第 59 条　刑事訴訟法第 311 条の規定により被告人が任意に供述をする場合には，裁判員は，裁判長に告げて，いつでも，裁判員の関与する判断に必要な事項について被告人の供述を求めることができる。
（判決の宣告等）
第 63 条　刑事訴訟法第 333 条の規定による刑の言渡しの判決，同法第 334 条の規定による刑の免除の判決及び同法第 336 条の規定による無罪の判決並びに少年法第 55 条の規定による家庭裁判所への移送の決定の宣告をする場合には，裁判員は公判期日に出頭しなければならない。ただし，裁判員が出頭しないことは，当該判決又は決定の宣告を妨げるものではない。
　2　略
（評議）
第 66 条　第 2 条第 1 項の合議体における裁判員の関与する判断のための評議は，構成裁判官及び裁判員が行う。
　2　裁判員は，前項の評議に出席し，意見を述べなければならない。
　3〜5　略
（評決）
第 67 条　前条第 1 項の評議における裁判員の関与する判断は，裁判所法第 77 条の規定にかかわらず，構成裁判官及び裁判員の双方の意見を含む合議体の員数の過半数の意見による。
　2　略

子どもの権利条約
（ユニセフ抄訳）

（親と引き離されない権利）
第9条　子どもには，親と引き離されない権利があります。子どもにもっともよいという理由から引き離されることも認められますが，その場合は，親と会ったり連絡したりすることができます。

（意見を表す権利）
第12条　子どもは，自分に関係のあることについて自由に自分の意見を表す権利をもっています。その意見は，子どもの発達に応じて，じゅうぶん考慮されなければなりません。

（表現の自由）
第13条　子どもは，自由な方法でいろいろな情報や考えを伝える権利，知る権利をもっています。

（プライバシー・名誉は守られる）
第16条　子どもは，自分や家族，住んでいるところ，電話や手紙などのプライバシーが守られます。また，他人から誇りを傷つけられない権利をもっています。

（子どもの養育はまず親に責任）
第18条　子どもを育てる責任は，まずその父母にあります。国はその手助けをします。

（暴力などからの保護）
第19条　親（保護者）が子どもを育てている間，どんなかたちであれ，子どもが暴力をふるわれたり，不当な扱いなどを受けたりすることがないように，国は子どもを守らなければなりません。

（生活水準の確保）
第27条　子どもは，心やからだのすこやかな成長に必要な生活を送る権利をもっています。親（保護者）はそのための第一の責任者ですが，親の力だけで子どものくらしが守れないときは，国も協力します。

ハーグ条約
（国際的な子の奪取の民事上の側面に関する条約）

この条約の署名国は，子の監護に関する事項において子の利益が最も重要であることを深く確信し，不法な連れ去り又は留置によって生ずる有害な影響から子を国際的に保護すること並びに子が常居所を有していた国への当該子の迅速な返還を確保する手続及び接触の権利の保護を確保する手続を定めることを希望し，このための条約を締結することを決定して，次のとおり協定した。

第3条　子の連れ去り又は留置は，次のa及びbに該当する場合には，不法とする。
a　当該連れ去り又は留置の直前に当該子が常居所を有していた国の法令に基づいて個人，施設又は他の機関が共同又は単独で有する監護の権利を侵害していること。
b　当該連れ去り若しくは留置の時にaに規定する監護の権利が共同若しくは単独で現実に行使されていたこと又は当該連れ去り若しくは留置がなかったならば当該権利が共同若しくは単独で現実に行使されていたであろうこと。

第4条　この条約は，監護の権利又は接触の権利が侵害される直前にいずれかの締約国に常居所を有していた子について適用する。この条約は，子が16歳に達した場合には，適用しない。

第5条　この条約の適用上，
a　「監護の権利」には，子の監護に関する権利，特に，子の居所を決定する権利を含む。
b　「接触の権利」には，一定の期間子をその常居所以外の場所に連れて行く権利を含む。

相談先，関係機関のご紹介

巻末資料

■日本弁護士連合会

ひまわりお悩み110番

TEL：**0570-783-110**（なやみ110番）

最寄りの弁護士会につながります

日本弁護士連合会

〒100-0013

東京都千代田区霞が関1-1-3

弁護士会館15F

TEL：03-3580-9841（代表）

URL：https://www.nichibenren.or.jp/

東京弁護士会

〒100-0013

東京都千代田区霞が関1-1-3

弁護士会館6F

TEL：03-3581-2201（代表）

URL：https://www.toben.or.jp/

大阪弁護士会

〒530-0047

大阪府大阪市北区西天満1-12-5

TEL：06-6364-0251

（業務案内テープ）

URL：https://www.osakaben.or.jp/

■日本司法支援センター（法テラス）

法テラス・サポートダイヤル

TEL：**0570-078374**

（おなやみなし）

URL：https://www.houterasu.or.jp/

ご相談内容に応じて，法制度や相談機関・団体等を紹介します

法テラス東京

〒160-0023　新宿区西新宿1-24-1

エステック情報ビル13F

TEL：03-3383-5300

法テラス大阪

〒530-0047　大阪市北区西天満1-12-5

大阪弁護士会館B1F

TEL：050-3383-5425

■児童相談所

全国共通ダイヤル

189（いちはやく）

最寄りの児童相談所につながります

東京都児童相談センター

〒169-0074　新宿区北新宿4-6-1

TEL：03-5937-2302

大阪府中央子ども家庭センター

〒572-0838　寝屋川市八坂町28-5

TEL：072-828-0161

■労働基準監督署（全国に321署）

東京都中央労働基準監督署

〒112-8573　文京区後楽1-9-20

飯田橋合同庁舎6・7F

TEL：03-6866-0008（総合労働相談センター）

大阪中央労働基準監督署

〒540-0003　大阪市中央区森ノ宮中央1-15-10

TEL：06-7654-1176（総合労働相談センター）

■消費者センター

消費者ホットライン

188（いやや）

お近くの消費生活相談窓口をご案内します

東京都消費生活総合センター

〒162-0823　新宿区神楽河岸1-1

セントラルプラザ16F

TEL：03-3235-1155

大阪府消費生活センター

〒559-0034　大阪市住之江区南港北2-1-10

アジア太平洋トレードセンターITM棟3F

TEL：06-6616-0888（相談専用）

【編集・執筆】（50音順）
法むるーむネット
● 弁護士
　市村 和也　（谷四いちむら法律事務所）
　岡山 照代　（岡山法律事務所）
　岸本 孝二　（堂島総合法律事務所）
　西塚 直之　（西塚法律事務所）
　仁保 潤哉　（弁護士法人アットパートナーズ）
　林　 尚美　（眞砂法律事務所）
　藤澤　 潤　（ウィステリア・バンデル法律事務所）
　岬　 宏美　（弁護士法人シヴィル法律事務所）
　南　 昌宏　（南輝雄法律事務所）
　宮崎 慎吾　（中本総合法律事務所）
　宮島 繁成　（ひまわり総合法律事務所）
　莚井 順子　（桂花法律事務所）

● 高等学校教員
　江口 祐二　（大阪府立藤井寺高等学校）
　大塚 雅之　（大阪府立三国丘高等学校）
　小代誠一郎　（元大阪府立高等学校 教員）
　関本 祐希　（大阪府立市岡高等学校）
　田丸 美紀　（大阪府立泉陽高等学校）
　松崎 康裕　（元大阪府立高等学校 教員）
　松葉 友規　（大阪府立天王寺高等学校）
　松本 真輝　（大阪府立佐野高等学校）
　松本 理沙　（元大阪府立高等学校 教員）
　吉田 英文　（大阪府立大手前高等学校）

【協 力】
　加藤 慶子　（上原綜合法律事務所）
　藤田 康貴　（弁護士法人KM総合）
　堀田 裕二　（アスカ法律事務所）
　森下 知紀　（アイギス法律事務所）
　斎木 英範　（元大阪府立高等学校 教員）

【表紙・本文デザイン】
　ペニーレイン

【表紙・本文イラスト】
　宮島 繁成

おとなになるあなたへ
法むるーむ　社会と法がわかる15のストーリー
2022（令和4）年7月25日　初版発行

編　著　法むるーむネット
発行者　野村久一郎
発行所　株式会社 清水書院
　　　　〒102-0072　東京都千代田区飯田橋3-11-6
　　　　電話　03（5213）7151
　　　　http://www.shimizushoin.co.jp
印刷所　広研印刷株式会社
製本所　広研印刷株式会社

●落丁・乱丁本はお取り替えいたします。
　定価はスリップに表示

本書の無断複写は著作権法上での例外を除き禁じられております。複写される場合は、そのつど事前に、（社）出版社著作権管理機構（電話03-5244-5088、FAX03-5244-5089、e-mail：info@jcopy.or.jp）の許諾を得てください。

ISBN 978-4-389-22599-5　　　　　Printed in Japan